Introducción práctica a la

Auriculoterapia

Sistema Noack

© 2015 Alejandro Lorente

Primera edición Junio de 2015
Autor: Michael Noack ©
Derechos en español: Alejandro Lorente © www.alejandrolorente.es
Maquetación y edición gráfica: Jose Antonio Correa - www.agconsulting.es

Ilustración y fotos: Michael Noack

ISBN: 978-84-414-3568-1

www.alejandrolorente.es

Sobre el autor

La presente obra nació a modo de textos sueltos que servían de apuntes en los seminarios de Auriculoterapia del autor.

De esta manera surgió un manual que ofrece una visión actualizada de esta corriente terapéutica.

La presente edición revisada se hizo necesaria por la evolución de la Auriculoterapia en los últimos años. Los contenidos y rumbos que ha tomado esta terapia exigen una mayor precisión argumental.

El autor ejerce como Heilpraktiker en Berlín y practica la Auriculoterapia desde hace casi 30 años. Dirige el Área Técnica de Auriculoterapia del Grupo de Trabajo de Acupuntura Clásica y Medicina Tradicional China en Berlín y su trabajo como docente y autor es altamente reconocido.

Capítulo 5. Otras formas de terapia sobre la oreja 129

Capítulo 8. Ejemplos de tratamiento 231

Introducción de Alejandro Lorente

Me formé en auriculoterapia con Michael Noack hace más de 10 años. Desde un principio me fascinó la rápidez y precisión de su sistema. Un sistema que yo mismo he enseñado a cientos de alumnos en todo el mundo. De la eficacia de la auriculotera-pia que aquí mostramos son testigos terapeutas latinoamericanos, norteamericanos, europeos, asiáticos y africanos. Un sistema que nos da herramientas desde el primer momento. Siguiendo las instrucciones que en este libro se detallan, el lector estará en condiciones de establecer un diagnóstico a través de la oreja, al mismo tiempo que irá tratando las diferentes dolencias que presenta el paciente. Las pautas diagnósticas que aquí se muestran son de gran utilidad, como lo es también la manera de encontrar los puntos sin tener de entrada que memorizarlos.

Gran alegría me da presentar por fin en castellano esta traducción, que estoy seguro será de gran utilidad para médicos y terapeutas.

INTRODUCCIÓN GENERAL

1

Capítulo 1. Introducción general

1.1 Historia de la Auriculoterapia

Desde que el hombre existe se han constatado reflejos del organismo en la superficie corporal.

La oreja es una más de esas zonas reflexológicas, en las que determinadas señales se reflejan como reacciones a determinados fenómenos patológicos

En el "Papiro de Ebers", del Antiguo Egipto, encontramos indicios de que ya entonces podían efectuarse sanaciones a través de la oreja. En muchas de las culturas posteriores a lo largo de los tiempos hubo sanadores que se servían de la oreja para tratar enfermedades.

Se sabe, por ejemplo, que Hipócrates curaba casos de impotencia mediante una sangría en la parte posterior de la oreja. A lo largo de los siglos, también han aparecido documentos europeos, que refieren fenómenos de sanación u otros efectos relacionados con la oreja. El médico portugués Lusitanus describía en 1637 sus intentos de curar la ciática por la oreja.

Otras fuentes informan de sanadores persas, que curaban la ciática cauterizando un determinado punto en la raíz del antihélix. Hacia 1850 había en Francia informes eufóricos de personas que habían tenido excelentes experiencias al ser tratadas a través de la oreja. Aunque estas corrientes perdieron pronto fuerza.

La acupuntura clásica china también entiende la oreja como punto de partida para curar enfermedades. Para la MTC (Medicina Tradicional China), la oreja sirve sobre todo de reflejo del riñón y el pabellón auricular es para ellos la apertura a los riñones.

Los chinos relacionan determinadas zonas del oído con ciertos sistemas orgánicos. El lóbulo se correspondería con el riñón, la parte central con el bazo, la superior con el corazón, el trago con el pulmón, el hélix con el hígado, etc.

Según el "Nei Ying" –el gran clásico entre los libros de la medicina china- la oreja es el lugar de encuentro de todos los meridianos. Por ello estaría vinculada a los flujos energéticos del cuerpo.

De hecho, la MTC conoce unos 20 puntos de la oreja, que establecen una conexión con los meridianos.

Cuando G. König y I. Wancura* aseguraron, a partir de esta tradición, que la Auriculoterapia es una rama de la acupuntura, y que forma parte de la Medicina Tradicional China, esto sólo es válido para los puntos de la oreja mencionados en el Nei Ying y a sus conexiones, y no para la Auriculoterapia de la que estamos hablando en la presente obra.

Considero muy poco afortunado el intento de representar en la oreja los meridianos corporales. Como mucho podemos localizar en ella sólo la ramificación del correspondiente meridiano que establece la conexión con el cuerpo.

Pero como estos reflejos suelen ser equiparados por regla general con el recorrido del meridiano, semejantes disquisiciones no hacen sino alejarnos de la Auriculoterapia como tal.

La Auriculoterapia desarrollada por el Dr. Nogier no es una terapia que podamos adscribir al sistema de la acupuntura clásica. A partir de un trabajo de Porkert (1978) sobre el desarrollo de la Auriculoterapia en China se evidencia que ésta suponía como tal un concepto terapéutico nuevo para ellos.

Y A. Brodde escribía en 1985, en el prólogo de la obra "Acupuntura del pabellón auricular", de G.Lange.

"... se hacía necesario reincidir en el punto de que es absolutamente falso que hubiera una Auriculoterapia china independiente. A no ser que el término se refiera a la gran aceptación en la República Popular China de la Somatotopía de Nogier a partir de 1961."

La Auriculoterapia es una terapia reflexológica, en la que mediante una aguja u otro tipo de manipulación (presión, masaje, estímulo eléctrico, láser, cromoterapia, etc.) se actúa sobre un área de la oreja estimulable a nivel reflexológico, produciendo un efecto energético -y por tanto terapéutico- sobre el órgano efector.

*G. König, I. Wancura, Hrsg.: Praxis und Theorie der Neuen Chin. Akupunktur, Band 3: Ohr-Akupunktur, 2. überarbeitete u. erweiterte Auflage, 1998 Verlag Wilhelm Maudrich

Una área o punto relevante siempre supondrá una proyección de un desequilibrio orgánico. La oreja sirve de espejo de ese desajuste. Por ello sólo podremos hablar de la existencia de un punto cuando éste cobra vida a partir de un problema orgánico. El gran mérito del doctor Nogier -un médico francés de Lyon- consiste en haber establecido un sistema completamente nuevo de diagnóstico y terapia a través del oído, al que denominó Auriculoterapia.

En 1956, Nogier informó por vez primera de sus experiencias en la "Revista Alemana de Acupuntura". En su consulta de Lyon llevaba tiempo observando que ciertos pacientes que habían sufrido ciática en el pasado tenían una cauterización en un determinado punto de la oreja. Este fenómeno le llevó a estudiar estos reflejos, así como la posibilidad de influir de este modo en el organismo.
La cauterización consiste en quemar un tejido con fines terapéuticos. En el proceso se crea una cicatriz. El efecto de semejantes manipulaciones era asombroso, ya que con frecuencia desaparecían los dolores ciáticos en cuestión de segundos. En su esfuerzo por explicarse este fenómeno, Nogier consiguió sistematizar las relaciones reflejas entre la oreja y el cuerpo. Con el descubrimiento de la correspondencia entre el antihélix y la columna vertebral, así como con el desarrollo de una Somatotopía precisa de la oreja, creó las bases de un nuevo concepto terapéutico.

En Alemania fue sobre todo el doctor Niels Krack el principal impulsor de este método a partir de 1961. Tanto a él como después también al Heilpraktiker Günter Lange les debemos la preservación de un sistema holístico de Auriculoterapia.

En el ámbito de la medicina convencional los principales precursores e impulsores han sido los doctores Bahr, Elias, Buchholz, Vogelsberger y Herget.

En el ínterin, la Auriculoterapia ha sido reconocida como un método terapéutico exitoso.
Un éxito que se debe sobre todo a los méritos de la escuela francesa, representada por personalidades como el doctor Nogier o el doctor René.
Descubrimientos como el RAC (Reflejo Aurículo Cardial) en 1969 y la cada vez mayor exactitud de la somatotopía de la oreja han marcado la evolución de la Auriculoterapia en Europa. El RAC ha pasado a llamarse VAS (Señal Autónoma Vascular).
La Auriculoterapia china ha seguido su propio curso, poco impresionada por la evolución de esta terapia en Europa. Los chinos siguen, ¿cómo podría ser de otro modo?, un modelo explicatorio marcado por la acupuntura clásica. Algo que ha provocado auténticos malentendidos en Europa.

En la oreja china se reflejan, de manera preponderante, las interacciones funcionales, que muchas veces no concuerdan con el órgano y su proyección en la oreja (según Nogier), sino que son la suma de las interacciones de diferentes órganos y sus funciones.

La transmisión ciega de la lógica de los puntos chinos provoca hasta nuestros días la errónea presunción de que es posible influir, de manera similar a como lo hace la MTC, en el flujo energético de una enfermedad.

Aunque en el caso de los puntos de acupuntura corporal su efecto se explica a partir de los meridianos y otros "flujos" energéticos. Algo que se puede comprobar empíricamente. Y este hecho se limita en la oreja como mucho a los 20 puntos mencionados más arriba.

Todos los demás puntos de la oreja reflejados a nivel agudo sólo surgen cuando hay trastornos orgánicos. De hecho, ni siquiera existen cuando no encontramos tales desajustes.

La Auriculoterapia también se ha establecido en Rusia. Ya en los años 80 aparecía en la revista en lengua alemana "Der Sputnik" un artículo bastante profuso sobre el masaje de la oreja.

También se dieron a conocer una serie de trabajos sobre las zonas de inervación de los nervios en la oreja y el desarrollo de las consiguientes somatotopías. Sus contenidos coinciden, por supuesto, con nuestro sistema y con la Somatotopía de la oreja de Nogier.

1.2 Efectos y límites de la Auriculoterapia

Siempre busqué una terapia sencilla, sin complicaciones, que pudiera ser aplicada en cualquier parte con el mayor éxito posible. Como Heilpraktiker en ejercicio sé que, por muy buen fitoterapeuta, homeópata o quiropráctico que uno sea, en casos de extrema urgencia, o cuando no estás totalmente seguro de que la substancia homeopática sea la indicada, o la solución la adecuada, era importante contar con una terapia complementaria, que garantice al paciente una clara mejoría y que sea realmente convincente por su modo de aplicación.

La Auriculoterapia responde por completo a estas exigencias.

El sistema es plausible, y nuestra estrategia ofrece una gran coherencia, tanto a nivel de diagnóstico como de tratamiento.

En los actos informativos no sólo se encuentra uno con personas confiadas. Voy a referir un caso: a un dentista relativamente joven le divierte ponerlo todo en tela de juicio. Aunque está tan seguro de su posición que tampoco tiene problemas en contestar generosamente a las preguntas que yo le hago. El hombre reconoce que sufre de continuos dolores en las cervicales. ¡Una enfermedad laboral! Ya se sabe, un profesional siempre sometido a esa postura tan poco natural de los dentistas. Algo nada agradable, pero su traumatólogo lo va controlando con manipulaciones e inyecciones periódicas. Lleva ya años con dolores. Yo le pregunto si se sometería en presencia del público a un tratamiento de Auriculoterapia.

Bueno —contesta- no se pierde nada en el intento. Un joven heroico e incrédulo se lanza al ruedo. Aplausos. Empiezo a colocar las agujas y al cabo de unos 5 minutos (no siempre la cosa va tan rápida) saco las agujas y doy por terminada la sesión. El hombre se levanta sonriente. El público está expectante. En un primer momento nuestro hombre se muestra poco o nada impresionado. Pero de pronto cambia su actitud. Estira los hombros, gira la cabeza, cada vez más fuerte, y reconoce, lleno de asombro, que por vez primera en años se encuentra absolutamente libre de dolor.

1.3 Posibilidades de la Auriculoterapia

Lo que más llama la atención del tratamiento a través de la oreja es, además de la complejidad de este concepto terapéutico, la inmediatez de su efecto.

La Auriculoterapia no es nociva, ni tiene efectos secundarios. Habida cuenta de un número cada vez mayor de personas que, por causa de las alergias o por otras razones, no pueden tomar medicamentos —o mantienen una actitud crítica frente a la medicina convencional- el tratamiento mediante la Auriculoterapia puede constituir una efectiva alternativa de curación.

Gracias a la rapidez con que la Auriculoterapia influye en las interacciones corporales, es muy adecuada para la medicina de emergencia. En casos en que el enfermo precise ayuda inmediata ante un problema agudo, se convierte en un medio ideal para el alivio de dolores, la superación de traumas o la relajación en crisis agudas (por ejemplo, cólicos).

A través del pabellón auricular podemos influir, aliviar e incluso eliminar por completo todo tipo de dolores. Las posibilidades de esta terapia van del dolor traumático –por ejemplo, tras accidentes- a neuralgias, como los dolores de cabeza de toda condición y origen, la ciática, el dolor fantasma, así como los dolores que acompañan a los ataques reumáticos, la claudicación intermitente o el herpes zóster.

Nogier ya recomendó la Auriculoterapia para el tratamiento de todas las dolencias que afectan al sistema nervioso central. El miedo, la agorafobia, las obsesiones, la falta de concentración, el vértigo o el tartamudeo, son también ejemplos de toda una serie de indicaciones, para las que se puede aplicar exitosamente la Auriculoterapia. Su efecto relajante hace que sea especialmente efectiva en el tratamiento de las personas mayores.

La Auriculoterapia está especialmente indicada en el tratamiento de las adicciones.

Diferentes programas para superar el alcoholismo, la drogadicción y el abuso de medicamentos, para dejar de fumar o para combatir la obesidad por trastornos alimenticios dan al terapeuta la posibilidad de adaptarse a la situación individual de la persona adicta.

Por supuesto que la cuota de éxito dependerá de la experiencia del terapeuta. Aunque en cualquier caso es muy alta.

Hay incluso centros para drogadictos en Alemania y Estados Unidos que cuentan con programas de Auriculoterapia como parte constitutiva de sus programas de ayuda.

La Auriculoterapia sirve, además, para aliviar las alergias, el asma, así como la inflamación de órganos internos, desde los problemas pancreáticos a una colitis

1.4 Límites de la Auriculoterapia

La Auriculoterapia no siempre está indicada. Lo importante es que el terapeuta sea capaz de valorar la situación individual del paciente.

De la experiencia práctica sabemos que, por ejemplo, no tiene mucho sentido tratar a un paciente después que haya ingerido una comida opulenta.

También hay que ser cautos cuando encontramos una excesiva hipersensibilidad en la oreja del paciente, o en ciertos puntos.

En caso de hiperreacción a un estímulo terapéutico (también en el plano psíquico)

habría igualmente que tener cuidado. Si la hiperreacción del paciente pone en tela de juicio el efecto terapéutico, más vale olvidarse de la Auriculoterapia.

En el caso de pacientes que estén bajo los efectos de fuertes analgésicos o neurolépticos, la Auriculoterapia, aumenta o transforma los efectos de esos medicamentos. Por eso, cuando tratemos a pacientes que padecen enfermedades crónicas, y que están sometidos a una terapia convencional, es importante que éstos sean sometidos a continuos controles y ajustes de las dosis de fármacos.

También hay que tener cuidado cuando se trata de enfermos graves. Mientras que el dolor sí puede tratarse en determinados casos, cuando encontramos casos graves de hipertonía, enfermedades coronarias o procesos cancerosos, es mejor no recurrir a la Auriculoterapia. Por ello es la gravedad de la enfermedad la que determina el nivel de contraindicación.

.No debe olvidar que se trata de una terapia energética. Por ello no debe aplicarse si partimos de la base de que el paciente cuenta con muy poca energía o el flujo energético tiene bloqueos insuperables.
En caso de embarazo se puede, claro está, realizar un tratamiento contra el dolor. Pero hay que evitar por todos los medios aquellos puntos relacionados directa o indirectamente con el embarazo (áreas orgánicas como el útero o los puntos de regulación endocrina relacionados directa o indirectamente con el embarazo).

1.5 Anatomía del oído externo

El pabellón auricular es la parte visible del oído, la más interesante a nivel terapéutico. Forma un embudo alrededor de la apertura exterior del oído (Meato acústico externo). El soporte del oído externo está formado por un cartílago elástico, el pericondrio. La estructura cartilaginosa forma un relieve en la oreja y nos ofrece el marco y los límites de las diferentes zonas de la oreja. La forma del oído externo se ve especialmente marcada por el hélix.

Éste surge a partir de la raíz del hélix, que nace en la concha. Tras la irrupción del hélix desde la concha, denominaremos a la parte ascendente del hélix (hasta la punta de

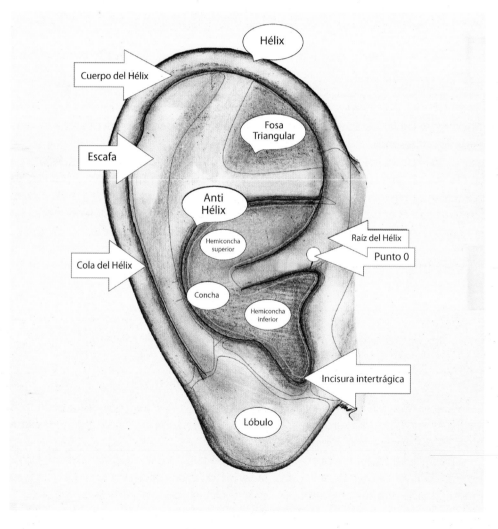

la oreja), cruz ascendente del hélix. Ésta se convierte en el cuerpo del hélix, que llega hasta el tubérculo de Darwin. Aquí comienza la cola del hélix, que representa más de dos tercios del hélix descendente. Este finaliza con una suave transición en el lóbulo. Una estructura bastante marcada del oído externo es el canto cartilaginoso del borde de la concha, el antihélix. Éste transcurre mayormente de forma paralela al hélix, como cuerpo del antihélix, y desemboca en la región craneal de la oreja en dos raíces. Éstas reciben el nombre de cruz superior del antihélix y cruz inferior del antihélix.

Imagen 1 - Estructura de la oreja

Ambas raíces delimitan una superficie con forma de triángulo, ligeramente hundida: la fosa triangular.

La parte central de la oreja, conforma una cavidad más o menos profunda, que recibe el nombre de concha. La raíz del hélix se sumerge en la concha, dividiéndola en la hemiconcha superior y la hemiconcha inferior.

Éstas están en su mayor parte unidas al cráneo y reciben sobre todo la inervación del nervio vago. De ahí que esta zona cuente con una tonificación vegetativa. La concha es una zona reflexológica de los órganos internos. En la hemiconcha inferior encontramos sobre todo los reflejos de los órganos del tracto respiratorio, que según los chinos forman parte del…

…Triple Calentador superior (Pulmón, corazón, etc.). Aquí también encontramos los reflejos de la parte superior del tracto intestinal, así como otras interacciones más complejas (puntos de regulación endocrina).

En la hemiconcha superior vemos los reflejos de los órganos y sistemas orgánicos adscritos al Triple Calentador medio e inferior (riñón, vejiga, hígado, bazo, páncreas, estómago, intestino).

Como en blastodermo el riñón se desarrolla en diferentes fases, nos encontramos con que el parénquima renal se encuentra oculto bajo el hélix, en la intersección con la raíz inferior del antihélix. Aunque a la hora de acceder al riñón como órgano y a sus funciones, los encontramos en primera línea en la concha. Semejantes constelaciones se dan también con otros órganos y sus interacciones. Mientras que en una región se refleja directamente el órgano, el músculo o la articulación, en otras zonas encontramos las interacciones funcionales de una determinada patología.

Entre el antihélix, la cruz superior del antihélix y el hélix (cuerpo del hélix y cola del hélix) encontramos la escafa. Es una superficie que asciende verticalmente, haciéndose cada vez más ancha y que acaba en punta en la intersección del ala del hélix con la cruz superior del antihélix.

En la parte inferior de la oreja tenemos el lóbulo, formado por tejido conjuntivo. Podemos encontrar lóbulos muy variopintos (colgantes o pegados, grandes o pequeños, etc.). El lóbulo determina en gran medida la forma de la oreja. Aquí encontramos, entre otras, somatotopías de la cabeza en su conjunto.

En la parte de la oreja pegada al cráneo, justo al lado del agujero del oído, se encuentra el trago. Se trata de una "tapa" rudimentaria, con forma de pequeño cartílago triangular. Esta se explica por una etapa anterior en la evolución del ser humano.

Frente al trago, conformando un límite superior del lóbulo y hasta el límite inferior del antihélix se encuentra el antitrago, una prominencia triangular y cartilaginosa similar al trago.

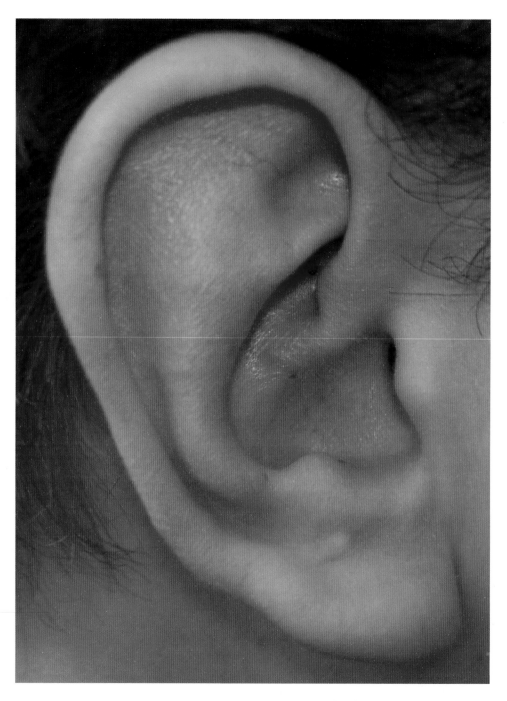

Imagen 2 - Cara anterior de la oreja

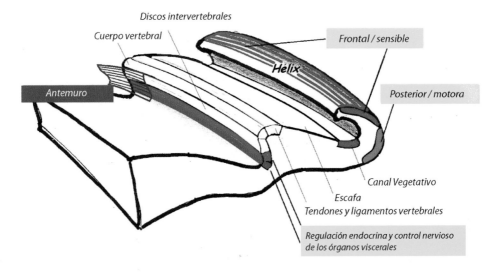

Discos intervertebrales

Cuerpo vertebral

Frontal / sensible

Hélix

Antemuro

Posterior / motora

Canal Vegetativo

Escafa

Tendones y ligamentos vertebrales

Regulación endocrina y control nervioso
de los órganos viscerales

Imagen 3 - Posterior (motora)
la zona accesible de la cara posterior de la oreja es bastante menor que la anterior, ya que hay zonas de ella que tienen contacto directo con el cráneo y por tanto faltan.

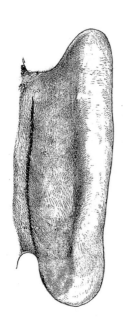

Imagen 4 - Cara posterior de la oreja
*la zona accesible de la cara posterior
de la oreja es bastante menor que la anterior, ya
que hay zonas de ella que tienen contacto directo con el
cráneo y por tanto faltan.*

Entre el trago y el antitrago encontramos la incisura intertrágica. Se trata de una zona muy importante, ya que tanto en el canto cartilaginoso de la incisura, como en la base de la concha que se vislumbra desde aquí aparecen importantes puntos de regulación endocrina.

Al final del antitrago hay otra incisura, que lo separa en este caso del antihélix, el surco postantitrágico.

En la curvatura entre la base de la concha y el canto del antihélix vemos una línea fina, que recibe el nombre de antemuro. Aquí encontramos la proyección nerviosa y endocrina de los órganos reflejados en la base de la concha, así como de la columna vertebral en el antihélix.

El relieve de la cara posterior de la oreja no tiene una estructura tan marcada como el de la anterior.

Como es de esperar, allí donde en la cara anterior encontrábamos promontorios, aquí encontramos una suerte de canalillos. Aquí vemos la cara posterior del antihélix, del antemuro, de la escafa, de la fosa triangular y del hélix.

En realidad, la cara posterior de la oreja juega un papel secundario en la moderna Auriculoterapia. Esto se debe, por un lado, a que más del 90% de los desajustes provocados por problemas vertebrales pueden tratarse exitosamente por la cara anterior.

Aunque en ciertas interacciones patológicas, sobre todo las relacionadas con problemas musculares, ha demostrado su validez el tratamiento simultáneo de las caras anterior y posterior. No obstante – quizás sea ésta una importante razón para no tratar la parte posterior- la menor accesibilidad convierte su tratamiento en algo bastante problemático. A ello se suma el hecho de que como el tratamiento siempre empieza en la cara anterior, las agujas allí aplicadas dificultan el acceso a la cara posterior de la oreja.

El propio Nogier tampoco prestó demasiada atención a la cara posterior de la oreja. Será Erst N. Krack quien observó que aquí pueden encontrarse sobre todo las correspondencias motoras de los órganos (Código 8 del sistema Krack: articulaciones, músculos, sistema rítmico, nervios, vasos, vísceras y demás puntos).

En la actualidad apenas encontramos mapas de puntos de la cara posterior de la oreja. Aunque esto no supone un mayor problema, ya que los puntos afectados de la cara posterior se infieren a partir de las proyecciones de la cara anterior.

1.6 La forma del oído como reflejo de la disposición genética

La forma de la oreja ofrece informaciones sobre la constitución de una persona, o sea, sobre sus disposiciones patológicas y su manera de reaccionar ante los estímulos del entorno. El objetivo del diagnóstico visual consiste en reconocer y valorar correctamente tales interacciones. Esta capacidad supuso siempre un inestimable instrumento para un terapeuta que se precie.

En este sentido es importante mantener un cierto grado de objetividad, y no moralizar a partir de las apariencias. Y es que moralizando lo único que conseguimos es perder la objetividad.

Es un deseo comprensible querer reconocer a primera vista, de modo visual, a la persona que tenemos delante, así como dilucidar cuáles son sus puntos débiles. Se trata de un anhelo probablemente tan antiguo como la propia especie humana. Aunque por muy deseable que sea para algunos este "conocimiento omnisciente", no es en absoluto serio pretender valorar a una persona únicamente por la forma de sus orejas.

Ello no quita que, a la hora de evaluar el estado actual del paciente, la forma de su oreja nos ofrezca una fidedigna posibilidad de interpretación. Una enfermedad supone una compleja implicación psicosomática, enlazada con los procesos bioquímicos corporales. La tendencia a adquirir una enfermedad supone muchas veces una predisposición genética.

De ahí que semejantes disposiciones, determinados síntomas y las subsiguientes interacciones patológicas se reflejen en la oreja, y que ciertas enfermedades se puedan reconocer aquí ya en su fase de desarrollo. La sabiduría de la Medicina Tradicional China, fraguada a lo largo de los milenios, sobre el significado de las formas externas, el color, el olor, etc., como reflejo de semejantes problemas y del estado del organismo nos permite valorar mejor todos esos signos.

Cuando se mira una oreja en su conjunto pueden observarse determinadas disposiciones genéticas. Ello no significa que la persona en cuestión tenga forzosamente que enfermar de esa determinada dolencia. No estamos hablando de un destino inevitable. Lo único que se muestra aquí es una cierta predisposición. Ahora bien, el conocimiento de determinados "puntos débiles" en el organismo, nos permite reconocer en caso de enfermedad ciertas interacciones que nos den acceso a la esencia de la enfermedad.

Por supuesto que también tiene sentido adaptar en la medida de lo posible la estrategia vital a una predisposición semejante. Pues quién conoce y respeta las leyes del cielo y de la tierra tendrá una vida fácil.

1.7 Transmisión nerviosa

La Auriculoterapia concebida por el Dr. Paul Nogier es, como ya adelantamos, una terapia reflexológica.

Numerosos mecanismos neurofisiológicos corporales conducen a una proyección en la oreja de las disfunciones periféricas, así como a la posibilidad de actuar sobre el cuerpo mediante el estímulo de estos reflejos.

En cuanto se estimula un punto de la oreja con una aguja -o se manipula de cualquier otra forma- la señal desatada llega a través de un camino muy directo y corto —y por tanto sin apenas interferencias- hasta la formación reticular. Desde aquí pasa al cerebro y al correspondiente órgano. Esto se explica por el hecho de que la oreja esté básicamente inervada por 5 nervios, cuyos núcleos están en la médula oblongada, y que están conectados con la formación reticular, que allí se encuentra.

La formación reticular está formada por una amplia red de núcleos y fibras. Es el intercambiador decisivo entre el cerebro y el cuerpo. Todas las órdenes cerebrales, ya se trate de decisiones volitivas recibidas del cerebro, o de órdenes involuntarias del cerebelo o de la parte superior de la médula oblongada (centros de respiración, circulación y otros importantes centros reflejos), atraviesan la formación reticular. Y, a la inversa, todos los mensajes enviados al cerebro son preparados por la formación reticular, que los envía ordenadamente al cuerpo.

La oreja está inervada por 5 grandes nervios. Con una rama lateral de su parte inferior, el nervio trigémino (quinto nervio craneal) inerva la mayor parte de la oreja. El vago (décimo nervio craneal) —el principal nervio del sistema parasimpático- inerva la concha. Por su parte, el plexo cervical superficial abastece el lóbulo y el borde posterior de la oreja.

También cuenta con el nervio facial intermedio y el nervio glosofaríngeo.

Como ya hemos dicho, en cuanto se estimula un punto de la oreja con una aguja -o se manipula de cualquier otra forma- la señal desatada llega a través de un camino muy directo y corto —y por tanto sin apenas interferencias- hasta la formación reticular. Desde aquí pasa al cerebro y al correspondiente órgano eferente.

1.8 Proyecciones orgánicas en la oreja

1.8.1 Representación orgánica

Los sistemas orgánicos del cuerpo manifiestan sus disfunciones en la oreja a partir de una estructura exacta, basada en el desarrollo embrional de los órganos. Este carácter sistemático nos permite una visión prácticamente tridimensional del cuerpo en la oreja. El orden estructural se basa en la aparición de los órganos durante la formación fetal. Las tres hojas del blastodermo son el ectodermo, el mesodermo y el endodermo.

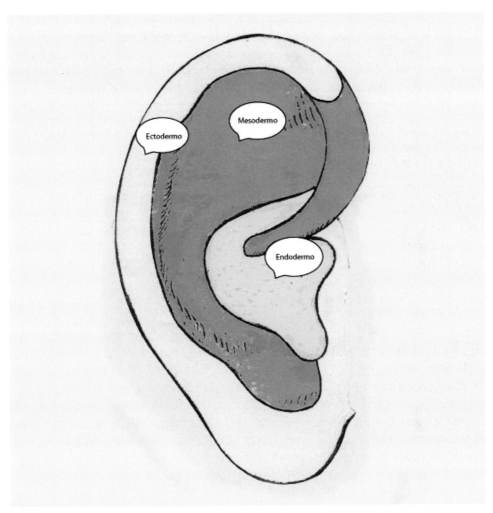

Imagen 5 - Capas del blastodermo en la oreja

En la génesis embrionaria las hojas del blastodermo son las capas celulares a partir de las cuales se van formando todas las estructuras orgánicas.

Los órganos y todas las estructuras corporales se desarrollan a partir de estas hojas y se reflejan en la oreja en base a su origen embrional.

El endodermo es la hoja o capa interior. A partir de él se desarrollan los órganos internos del tracto digestivo y del tracto respiratorio, así como el hígado, el páncreas, la vejiga, la uretra, la estructura parenquimática de las amígdalas, las tiroideas y el timo, etc. Estos órganos se reflejan en la concha.

De las tres capas del blastodermo, el mesodermo es la intermedia. A partir de ella surgen entre otras estructuras el esqueleto, el tejido conjuntivo, los músculos, el tracto urogenital, los vasos sanguíneos y el corazón. Las zonas de proyección de estos órganos se encuentran en la raíz del hélix (hasta la punta del hélix), en la fosa triangular, la escafa y la raíz del antihélix, y llega hasta el antitrago.

El ectodermo es la capa exterior del blastodermo. A partir de él surgen las estructuras superficiales, los órganos sensoriales, así como el sistema nervioso central. Estos órganos aparecen reflejados en el borde de la oreja (a partir de la punta de la oreja), la mayor parte del lóbulo y el trago. La incisura intertrágica también forma parte de esta zona de proyección.

1.8.2 Somatotopía de la oreja

Como ya hemos señalado, en diferentes regiones de la superficie corporal se producen una serie de reflejos. Se trata de complejos campos reflejos o somatotopías. Semejantes campos reflejos los encontramos en los pies, en las manos, la espalda, el iris, la lengua, el cráneo, las pantorrillas, dentro y fuera de la nariz y ¡quién sabe en cuántos sitios más! La oreja también está considerada un sistema reflexológico cerrado. El hecho de que las raíces de los nervios que abastecen a la oreja se encuentren en el tronco cerebral -con la consiguiente rápida conexión entre cerebro y oreja- significa que los estímulos que hagamos sobre la oreja tendrán un fuerte efecto sobre el organismo. De ahí que la Auriculoterapia tenga un lugar de honor entre las reflexologías.

Gracias a las observaciones empíricas de Nogier sabemos hoy dónde se reflejan en la oreja los órganos y sistemas orgánicos cuando sufren un desajuste. El resultado de su trabajo es una imagen basada por completo en la lógica anatómica (aunque invertida, cabeza abajo).
Sus observaciones llevaron a la somatotopía de la oreja, que sigue teniendo validez en la Auriculoterapia moderna.
Es, por así decirlo, un mapa, una reproducción de la totalidad del cuerpo humano en la oreja.

{soma [griego.] = cuerpo; topos [griego.] = lugar}

Nogier advirtió en su momento que esta imagen no podía reflejar todas las interaccio-

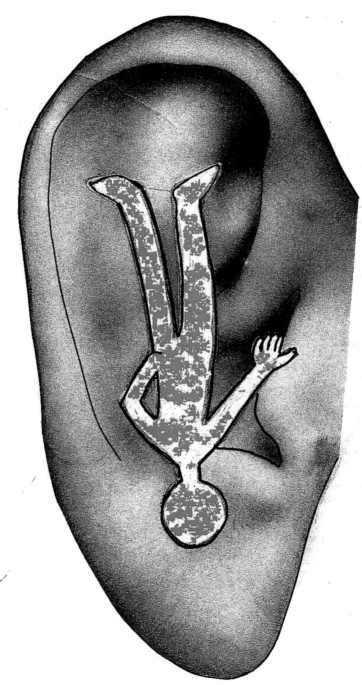

Imagen 6 - El hombre en la oreja

nes corporales (la cabeza en el lóbulo y las piernas en la fosa triangular, hacia la punta de la oreja). Únicamente servía para reflejar el plano "animal".

Además de este nivel de representación para los órganos y sistemas orgánicos, también encontraríamos un reflejo de los sistemas nerviosos y endocrinos, sus aspectos energéticos y las interacciones disfuncionales.
Aunque para nosotros, la base fundamental a la hora de aplicar la Auriculoterapia es la reproducción "animal" del organismo. Únicamente este nivel de representación nos permite establecer conexiones reflexológicas en la oreja, relacionadas con una determinada causalidad corporal.

Como ya mencionamos anteriormente hay ciertas diferencias entre este mapa de la oreja y el mapa chino. Los puntos orgánicos juegan para los chinos un papel secundario, ya que el tratamiento en China suele basarse en interacciones funcionales. Aun cuando la diversidad de las interpretaciones pueda parecernos poco comprensible, no por ello son falsas, y haríamos bien en incluir este tesoro experiencial en nuestra prácticaterapéutica.

Donde encontramos claras diferencias entre ambos sistemas es en la representación de la columna vertebral. Para los chinos, los segmentos de la columna ocupan mucho menos espacio, y no estaría de manera consecuente en el antihélix, o la raíz anterior del antihélix. Ellos consideran que ésta termina a la altura de las vértebras torácicas 11/12, en lo que sería la base de la raíz superior del antihélix.

Además de alguna que otra diferencia (reflejo de la rodilla, talones, erc.), nos vemos confrontados con denominaciones de puntos tales como "Sol", "Shen Men", "Vegetativo", etc., cuya importancia en nuestro concepto terapéutico occidental se basa en estímuos ejercidos por el sistema nervioso.
El punto Shen men, por ejemplo, se explica desde el punto de vista chino con el efecto energético del punto Corazón 7 de la acupuntura corporal. En la oreja, este punto se encuentra en el área de la cadera, con lo que desde aquí ejerce un efecto relajante sobre el sistema nervioso. Únicamente tiene efecto en esta región y no tiene nada que ver con el meridiano del Corazón. Aunque su indicación (relajación, calmante, ayuda a superar miedos), es correcta, y podemos concluir que es posible aliviar semejantes tensiones desde la cadera.
Según la concepción europea encontramos en la oreja una serie de puntos reflexológicos relacionados con complejas interacciones biológicas, y que podrían estar relacionados con fenómenos psicosociales. Su tratamiento desatará las correspondientes reacciones intrincadas. Nogier se refería a ellos como puntos maestros.
Su localización en la oreja sigue pocas veces la lógica del reflejo animal y muchas veces

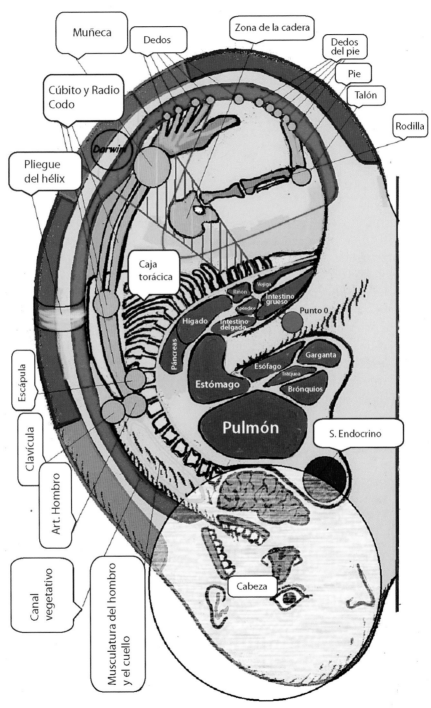

Imagen 7 - Somatotopía de la oreja

sólo es posible explicarlos mediante la tesis de Nogier, quién pensaba que las interacciones nerviosas vuelven a colocarse, "cabeza arriba", mientras que las interacciones energéticas producirían en la oreja reflexologías horizontales. La interpretación de semejantes reflejos dependen en gran parte de las connotaciones culturales del terapeuta, así como de su formación (Medicina natural o medicina convencional), y no siempre se corresponden con una realidad demostrada empíricamente.

1.9 Aclaraciones

Con sus puntos orgánicos (puntos 1 a 15) y los puntos maestros (puntos 16 a 30), Nogier creó las coordenadas básicas de la Auriculoterapia. Aunque para la mayoría de los terapeutas aquella acupuntura era demasiado simple. Se hacía necesaria una representación diferenciada de todo el organismo. Uno de los primeros que trabajaron en ello fue el doctor Niels Krack.

Krack creó una nomenclatura en la que los puntos reflexológicos de la oreja estaban descritos con mucha mayor exactitud, atendiendo a su importancia y a su relación con determinados órganos y sistemas orgánicos.

Para ello se basó en los códigos Avon, que en aquel tiempo acababa de instaurar el Correo alemán. En base a este esquema describió las posibles representaciones y las ordenó según su importancia en un sistema de códigos.

Este sistema estaba ordenado en base a la sintomatología de las dolencias:

Código1: Columna vertebral y las regiones correspondientes
Código2: Extremidades superiores e inferiores
Código3: Sistema rítmico (Corazón, respiración)
Código4: Órganos digestivos
Código5: Sistema nervioso central y periférico
Código6: Glándulas y órganos genitales
Código7: Tejidos
Código8: Puntos de la cara posterior de la oreja
Código9: Puntos especiales

Para hacerlo aún más complejo, también creó una clasificación de puntos corporales, así como de puntos con interacciones causales (p.e. 643: punto de Desintoxicación; o 481: punto para la digestión en su conjunto).

Con esta nomenclatura, Krack buscaba un sistema perfecto, pero que a fin de cuentas era insostenible, ya que no era posible clasificar de manera clara la enorme cantidad de posibles interacciones en el cuerpo humano. Aun cuando este sistema no encontró seguidores, las conclusiones de Knack fueron de gran utilidad para la comprensión de nuestra terapia, sobre todo en lo que se refiere al complejo efecto de la Auriculoterapia sobre el organismo y las patologías.

La evolución de la Auriculoterapia en China también ayudó a ampliar nuestra perspectiva. En cuanto la terapia fue dada a conocer en China en los años 60 recibió enseguida una gran aceptación. La lógica de la Auriculoterapia cuadraba perfectamente en la concepción pragmática de la MTC. De modo que los mapas de la oreja chinos, muy sencillos y comprensibles, llegaron pronto a Europa. Autores como König y Wancura introdujeron en Europa una nomenclatura numérica "china", que gracias a las aclaraciones adicionales ofrecía una representación comprensible de los puntos. El problema es que muchos de los que complementaron los mapas europeos con los chinos no vieron claro que las indicaciones de los puntos se basaban en la concepción china de la enfermedad, basada en las experiencias de la MTC. Pero el hecho es que las indicaciones de los puntos de Nogier no podían traspasarse si no se conocía el ideario chino. Esto provoca hasta nuestros días una serie de malentendidos, como el hecho de que se traten puntos chinos, como el Shen men (Corazón 7), que en realidad se encuentra en el área de la cadera. El error consistente en pensar que la Auriculoterapia sea – como la Medicina Tradicional China- una terapia milenaria, podría hacernos creer que ambas proceden de la misma tradición. Y por si fuera poco: muchos siguen creyendo que la Auriculoterapia forma parte de la MTC.

La Auriculoterapia fue recibiendo cada vez más reconocimiento en Europa. Terapeutas como Bahr, Bourdiol y otros ampliaron sus posibilidades y el canon de puntos. Se convirtió en un hábito la costumbre de catalogar numéricamente los puntos de validez terapéutica demostrada, mientras que aquellos que requerían del referendo empírico recibían una clasificación nominal.

Schrecke/Wertsch no tardarían en actualizar la nomenclatura (Schrecke/Wertsch, Ohrakupunktur für die Praxis, WBV Schorndorf 1975), con la que siguen trabajando muchos especialistas en la actualidad. Günter Lange investigó las diferentes "escuelas" en su libro "Akupunktur der Ohrmuschel (Acupuntura de la oreja)", publicado en 1985. Lange se basó en lo mejor de cada corriente, en aquello que había demostrado su eficacia. Hombre experimentado, supo liberarse de los errores que se habían puesto de moda. Siguiendo su tradición examinaremos, más de 20 años después, con espíritu crítico, las indicaciones de cada punto, ya se trate de puntos cuyo efecto está descrito nominal o numéricamente. El desarrollo de esta terapia no debería verse frenado por una serie de normas preconcebidas.

DIAGNÓSTICO VISUAL

Capitulo 2. Diagnóstico visual

La trasmisión de los rasgos genéticos a los descendientes, a lo largo de las generaciones, es un hecho indiscutible. Pero por mucho que un recién nacido se vea marcado por los rasgos de sus progenitores, se trata de un ser humano completamente nuevo. Cada persona llega al mundo con unas características genéticas absolutamente personales. Aquí encontramos una determinación genética, así como una serie de predisposiciones a adquirir determinadas enfermedades, pero la persona -y cuanto más avanzada sea la edad de la persona más determinante es este hecho- también está marcada por la educación, la experiencia vital y las normas sociales. Por supuesto que ninguna de estas fases de la vida cambiará la oreja, pero sí a la persona como tal. Aquello que la marca como ser social, su forma de pensar, actuar, o la manera como lo ven las demás personas, no es equiparable a su disposición genética, y por tanto no podremos sonsacarlo de la forma de su cabeza o de la estructura de su oreja.

Aunque su disposición netamente personal queda reflejada en rasgos corporales inconfundibles. Algo que en el diagnóstico del iris ha demostrado su máxima validez. Lo mismo ocurre con la forma y estructura de la cara, la oreja y otras regiones corporales, íntimamente ligadas a la disposición genética de la persona. Así, los rasgos que en este contexto evocan predisposiciones, alteraciones o procesos agudos, son la base del diagnóstico visual. Tienen relevancia, independientemente del lugar en que aparecen semejantes fenómenos (cara, nariz, lengua, ojo, cráneo, espalda, manos, extremidades superiores e inferiores, etc.).

Se trata de señales que podrían hacernos pensar en determinadas disposiciones orgánicas, tendencias patológicas, rasgos de enfermedades agudas de un cierto órgano, de procesos patológicos superados, etc. Muestran una predisposición corporal y nos señalan donde podrían producirse determinadas alteraciones. Bajo todos estos aspectos, la vida transforma la conciencia, el conjunto de la personalidad de una persona, pero no así su disposición de salida. Lo que hace de ella un ser social, su manera de pensar o actuar, el modo en que lo ven los demás, no podrá nunca –al contrario de lo que ocurre con su disposición genética- reflejarse en la estructura y forma de la oreja. Aunque ello no nos impedirá sacar el mayor número de conclusiones a partir de la visualización externa de una persona.

En China creen que un terapeuta experimentado puede, simplemente observando la cara de un paciente, sacar conclusiones sobre lo acontecido a lo largo de la vida. Se dice que "la cara es el reflejo del alma". Desde el nacimiento hasta cumplir aproximadamente 17 años, la cara estaría marcada –según los chinos- por la disposición genética y la influencia de los padres. Sólo a partir de este momento tomará el testigo la propia responsabilidad. A más tardar a los 40 años tendremos, en base a la vida vivida, una cara feliz o amargada. Según la tradición china, una cara se verá marcada por la energía predominante en la persona: yin o yang. Aunque éstos son términos relativos. Son los dos componentes fundamentales de la unidad. En la medida en que uno aumenta, cederá el otro. Yang significa originariamente "la cara soleada de la montaña". Para la Medicina Tradicional China, yang representa lo claro, lo caliente, lo externo, lo que se encuentra arriba, lo positivo, lo dinámico, lo masculino. Yin es sinónimo de "la cara umbría de la montaña". Representa lo oscuro, lo interior, lo que se encuentra abajo, el frío, el agua, lo pasivo, lo negativo, lo receptivo y conservador, el principio femenino en el sentido más amplio del término. Una persona yang tiene una cara redonda, gruesa, que se hace más ancha al llegar a la mandíbula. La frente es estrecha y corta. Tiene orejas bien visibles, posiblemente colgantes, una nariz vigorosa, una boca marcada con labios anchurosos, un cuello corto y fuerte, así como hombros anchos y altos. El tipo yang destaca por su actividad física y mental, sus grandes reservas, su resistencia y la rápida recuperación tras un esfuerzo. En la enfermedad muestra fuertes reacciones de defensa (fiebre, inflamaciones, dolores fuertes, que no duran mucho). Las enfermedades yang vienen y se van con rapidez y tienen muy buenas perspectivas de sanación. Por lo general suelen estar marcadas por un exceso energético y es necesario sedar –energéticamente hablando- al paciente.

Una persona yin tiene una cara alargada, con una frente alta y ancha. Las orejas no cuelgan. Cuenta con una nariz y boca finas. Su cuello es largo y los hombros estrechos y colgantes. El tipo yin no suele rendir tanto, y necesita largas fases de recuperación después de un esfuerzo o enfermedad. Tanto a nivel corporal como anímico se trata de una persona que reacciona con gran sensibilidad a los estímulos. Las enfermedades yin tienden a convertirse en crónicas. Se hace necesario tratarlas durante largo espacio de tiempo para curarlas. Aquí es importante la tonificación energética.

En Europa también suele verse la cara como un campo de reacción corporal: la cabeza y el sistema nervioso los encontraríamos en la frente. La respiración se refleja en la zona de las cejas (incluyendo las cejas) hasta debajo de la nariz. Una frente muy marcada y alta refleja una orientación intelectual, así como una tendencia al control. Un materialista al que le gusta orientarse por la oficialidad, por las normas y la presunta objetividad científica. Se trata de una persona crítica y muchas veces más bien pobre en sentimientos.

Cuando predomina la zona media de la cara, desde el borde superior de las cejas a la parte baja de la nariz, nos encontramos con personas que suelen ser bastante sentimentales. Son fáciles de impresionar y actúan de forma impulsiva, sin meditar demasiado las cosas.
En caso de que la zona más marcada sea la inferior de la cara, la persona en cuestión es más bien práctica y con los pies en la tierra. Tiene una voluntad de hierro, buena capacidad de concentración y supera los problemas sin dificultades. Aunque también tiende a ser testarudo.

Estos detalles nos ofrecen todo un surtido de rasgos y signos, que nos pueden dar información sobre la constitución y predisposición de una persona. Aunque hay que añadir que estas particularidades no sirven mucho consideradas de manera aislada. Sólo nos valdrán si las incluimos en la suma final de los datos obtenidos de un paciente.

2.1 Práctica del diagnóstico visual

Cuando nos dedicamos a observar orejas, nos daremos cuenta enseguida de que no hay dos orejas iguales. Cada oreja tiene su forma peculiar, del mismo modo que su portador es también un ser único. Si miramos con más detenimiento, nos encontraremos con granitos, pequeñas inflamaciones y eccemas, lunares, etc. Todos estos signos tienen su correspondencia con determinadas interacciones corporales, y nos ofrecen una visión previa de un fenómeno complejo.
Mirar y valorar lo que aparece a nuestra vista: a esto lo llamamos diagnóstico visual.

2.1.1 Forma externa de la oreja

Todo aquello que aparece en la oreja tiene su sentido. Además de la forma general y la estructura de las diferentes partes de la oreja, también tiene importancia la posición de la oreja en el conjunto de la cabeza. Puede reconocerse en seguida qué parte de la oreja está especialmente desarrollada. Se ve si la oreja está equilibrada o adquiere formas extremas. Se ve si una oreja tiene una posición alta, normal o baja. Si está recta o torcida, si está más bien pegada o separada. Las conclusiones que obtengamos de seme-jantes signos se refieren exclusivamente al organismo y sus problemas. Quizás nos gus-taría sacar conclusiones morales a partir de la oreja de una persona, pero no es posible. Con frecuencia permanezco sentado en el metro observando orejas. Esto se puede convertir en una verdadera pasión para un auriculoterapeuta. Pero ello no está exento de peligros, ya que la persona observada no sabe qué estamos mirando exactamente (¿quién se dedica a mirar orejas?). La persona creerá, sencillamente, que la estamos mi-rando fijamente, y no siempre nos premiará la curiosidad con una agradable sonrisa.

Cuánto daría muchas veces si pudiera saber si mis sospechas, sacadas en base al tamaño, forma y estructura de las orejas observadas, me acercan de veras a la realidad de la per-sona en cuestión. En la práctica cotidiana puedo servirme de ello, pues sé que la oreja transmite informaciones sobre la constitución de una persona, su disposición genética a adquirir determinadas enfermedades, así como sobre su modo de reaccionar al entorno. Y es que en el marco de una anamnesis tengo la posibilidad de refrendar o corregir mis percepciones. Por ello considero que el diagnóstico visual no es más que un paso más en el camino a seguir.

Como ya hemos mencionado, desde la percepción china, la oreja refleja la función renal. A partir de la disposición de los riñones no sólo se determinan la fuerza y resistencia de la persona, sino tam-bién su voluntad y estructura emocional. El proceso de la vida, la enfermedad y la sanación, incluso los procesos psicosomáticos, están vinculados al metabolismo corporal, que es de carácter material, bioquímico.
La medicina china otorga a los riñones una enorme importancia, pues creen que son la sede y el punto de partida de la energía hereditaria. Aquí es donde se almacena, potencia y libera esta energía. Hay gente que asegura que unas orejas grandes delatan a una buena energía hereditaria.

Fijémonos primero en la forma externa del oído. Si dividimos horizontalmente la oreja en tres partes iguales y consideramos cada uno de los tercios en proporción al conjunto, podremos recoger valiosas informaciones sobre cómo reacciona esa persona a las circuns-tancias de la vida. Estas conclusiones no deben ser aceptadas ciegamente, ya que una vida vivida deja sus huellas, y obliga a la persona a cambiar sus estrategias vitales. Todo ello hay que valorarlo al tratar a un paciente.

El tercio superior de la oreja (Mente) corresponde a la zona del pensamiento. Del tamaño y la forma en relación al conjunto de la oreja podemos concluir el tipo de desa-rrollo mental que permite esta disposición. Una parte superior muy marcada no equivale forzosamente a una gran capacidad mental, no quiere decir que la persona sea inteligente. Pero sí nos indica el marcado esfuerzo de esta persona de explicarse el mundo más por la cabeza que por el instinto.

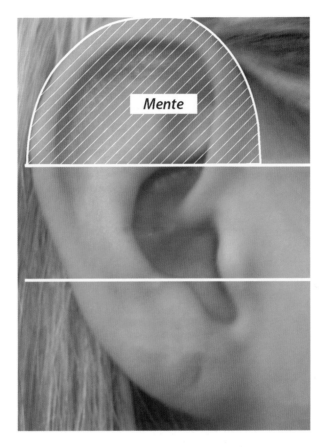

Imagen 8: Mente-Espíritu-Cuerpo

El tercio medio de la oreja (Espíritu) se corresponde en el sentido más amplio con la zona del sentir, la zona del alma. Una forma externa armónica nos sugiere una persona equilibrada. El hecho de que en esta zona se encuentre el tracto digestivo (el campo del estómago está en la concha, en el tramo inferior de la cruz del hélix), nos recordará la relación entre el tracto digestivo y el estado anímico de la persona. Sobre todo la hemiconcha inferior es el reflejo de la respiración y la circulación sanguínea y muestra interacciones fisiológicas con el cuerpo (sistema rítmico). La forma que adquiera esta parte de la oreja (profunda o superficial, ancha o estrecha, etc.) es un reflejo de la constitución congénita en este nivel orgánico.

Un hélix marcado y bien formado, con un amplio arco, da fe de buenas condiciones mentales así como de impulsos artísticos. A veces a ello se suma una gran sensibilidad, de modo que el afectado recibe más estímulos de los que puede asimilar y devolver al entorno. Estas personas suelen reaccionar con problemas de estómago cuando son sometidas a una carga excesiva. Aunque también podría tratarse de un "teórico", que percibe el mundo mucho más con la cabeza que con el sentimiento.

Un ala del hélix fina delata una clara ausencia de protección. Si además encontramos en el ala pequeños nodulitos, suele tratarse de tendencias obsesivas. Por lo general, una disposición semejante viene acompañada de miedos existenciales, que no pocas veces conducen a una rigidez de pensamiento, que se hace extensiva a los vasos sanguíneos, las articulaciones, etc.

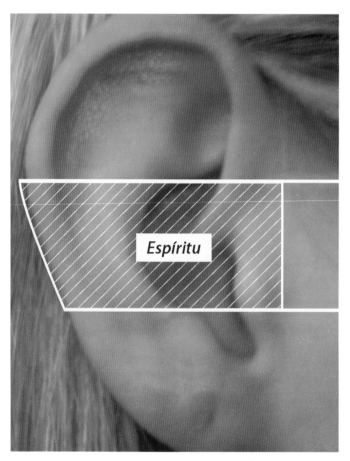

Imagen 9 Espíritu

El tercio inferior de la oreja (Cuerpo), el lóbulo, marca, por su forma y tamaño, la fuerza y la personalidad de la persona. Aquí se refleja el componente yang de la energía vital dirigida hacia el exterior. Cuando la parte inferior de la oreja está muy desarrollada, podría ser que la fuerza más bien material domine a la personalidad en su conjunto. Este tipo de personas no se darán muchas veces cuenta de que asustan a los demás con su fuerza espontánea y puede que ingenua. Aunque aquellos que sean conscientes de su carácter dominante posiblemente se sirvan de ello en provecho propio.

Unos lóbulos pequeños, apenas marcados, que no cuelgan y están pegados a la cabeza, señalan que se trata de una persona menos extrovertida. Este tipo de personalidad nutre su autoestima (si es que la tiene) de la esfera mental y espiritual. Aunque esto no siempre es fácil, y no es difícil que estas personas se sientan inseguras.

Es gente que se agota muy pronto, tanto a nivel mental y anímico, como corporal.

Además de la forma y estructura de las diferentes partes de la oreja, también es importante la posición del oído externo en relación al conjunto de la cabeza. Cuando se mira la cabeza de lado, lo normal es que la oreja se encuentre en el segundo tercio de la misma. El borde inferior del lóbulo estará horizontalmente a la misma altura que el borde inferior de la nariz. Si las orejas están más altas, tendremos una persona optimista y entusiasta, aunque sufre de una sobreexcitación teórica.

Una persona, por tanto, que vive e intenta conformar el mundo con la fuerza de su mente. Ya se sabe la fuerza que puede tener un argumento aparentemente plausible, aun cuando a veces sea falso.

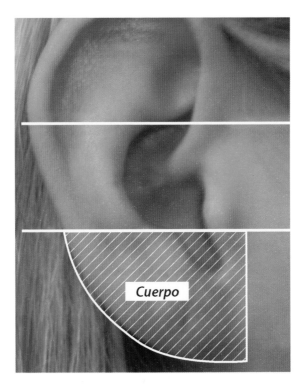

Imagen 10: Cuerpo

Si las orejas están demasiado bajas, puede que su portador sea una persona medrosa y dubitativa. Su tendencia a tomar las cosas peor de lo que son, es algo que va en aumento con la edad y la enfermedad.

La práctica es la medida de la verdad. El que se deje explicar el mundo por teóricos, allá él si se equivoca. A modo general puede decirse que una oreja bien formada es habitual en una persona equilibrada. Pero, ¿qué quiere decir realmente esto? Una oreja escabrosa seguro que nos habla de un carácter más complicado, pero en ningún caso, como se escucha en diferentes fuentes, de una disposición violenta, por no decir criminal.

En el caso de orejas colgantes, el observador tendrá ante sí una naturaleza comunicativa y abierta. Cuando ambas orejas tienen tamaños o formas diferentes (una está más separada de la cabeza, por ejemplo) podemos imaginar que la persona tiene que luchar más con el día a día.

Otras informaciones podemos obtenerlas a partir de signos tales como granitos, zonas blancas o enrojecidas, etc., que aparecen y desaparecen espontáneamente en determinadas zonas de la oreja. Nunca surgen de manera casual y siempre tienen un significado. Siempre hay que verlos en relación a los órganos y sistemas orgánicos del área en que se encuentran (ver: Somatotopía). De su aparición en una determinada área podemos concluir un desajuste agudo en los sistemas corporales reflejados en esa región concreta de la oreja.

2.1.2 Estructura de la oreja

Quiero animarle a que considere todos los signos que vienen a continuación a la hora de realizar el diagnóstico del paciente.

El páncreas se refleja en la concha superior de la oreja izquierda, al final de la cruz del hélix. (En la oreja derecha encontramos allí el área del hígado). Suele ser una pequeña zona en la base de la concha, junto a la curvatura del antihélix. Aunque en caso de enfermedad, esta zona puede extenderse considerablemente, ocupando todo el espacio existente entre la cruz del hélix y el antihélix.

Cuando en esta zona se percibe una inflamación hay que considerarlo como un signo a examinar. La inflamación puede ser blanca y dura. Ello suele significar que nos encontramos con una patología crónica, marcado por una ausencia energética. Si lo que vemos es una inflamación roja y edematosa debemos pensar que se trata de una patología aguda, con estasis energético. En principio, cualquier otro signo, como una determinada coloración, un granito o huequito debería llevarnos a aclarar de qué puede tratarse.

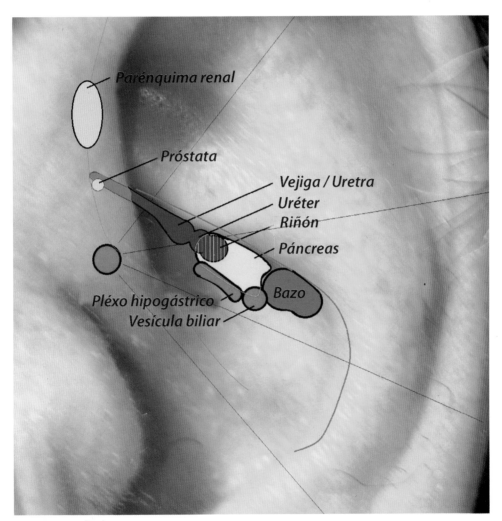

Imagen 11: Área del Páncreas

La estructura del área (ver imagen) en la concha superior nos informa sobre la predisposición del paciente en lo que se refiere a la reacción del metabolismo pancreático a las exigencias orgánicas. Cuando esta área es estrecha, ello significa una falta de flexibilidad de la función pancreática, con la correspondiente disposición a la diabetes.

Si en cambio hay mucho espacio en la parte inferior de la concha, entre la raíz del hélix y la curvatura del antihélix, ello denotará una cierta incapacidad reguladora, con una inestabilidad metabólica y todas sus consecuencias.

Observe las relaciones de este ámbito funcional con los sistemas hormonal y linfático, y por tanto con las interacciones metabólicas en general.

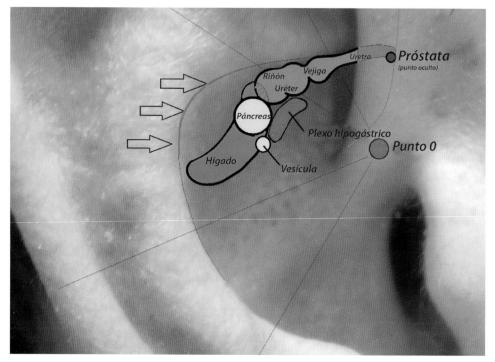

Imagen 12: Área del Hígado - Oreja derecha

El hígado se refleja por lo general únicamente en la oreja derecha, en la hemiconcha, más o menos a la misma altura en que en la oreja izquierda se encuentra el área del páncreas. El área se encuentra en la base de la concha. Comienza a la altura de la tercera vértebra dorsal y finaliza al nivel de la décima dorsal.

En caso de que la hemiconcha superior sea muy estrecha en esta zona implica una cierta inflexibilidad en la función hepática. Así podría explicarse una inestabilidad psíquica, unida a una merma en el rendimiento. Cuando la hemiconcha superior es excesivamente amplia (debilidad) cabría pensar que hay una disfunción en estos ámbitos.

En caso de dolencias hepáticas crónicas pueden encontrarse en los puntos reflexológicos del hígado claros promontorios u oquedades. Granitos, puntos rojos y otros signos pasajeros son señales de un problema agudo.

Campo pulmonar

El campo pulmonar aparece en el centro de la hemiconcha inferior. En el punto central encontramos adicionalmente la función circulatoria (Punto 100 chino). Cuando esta región está desproporcionada, ya sea porque es demasiado amplia o demasiado estrecha, es una señal negativa. Un exceso de amplitud es señal de disregulación y de la consiguiente pérdida energética. Si este ámbito es demasiado estrecho será más bien señal de una disfunción por falta de flexibilidad. Esta disposición queda más clara cuando vemos que la cruz del hélix es demasiado plana y está como acortada.

Esta angostura puede documentar la estrechez que sufren los pulmones en el organismo.

Es necesario buscar la correspondencia de los promontorios, granos, oquedades, manchas, etc. en este campo pulmonar, para así llegar a las conclusiones adecuadas. Si un determinado signo, como por ejemplo un promontorio, ocupa todo el campo, de modo que no es posible clasificarlo claramente, tendremos que considerar también las zonas limítrofes.

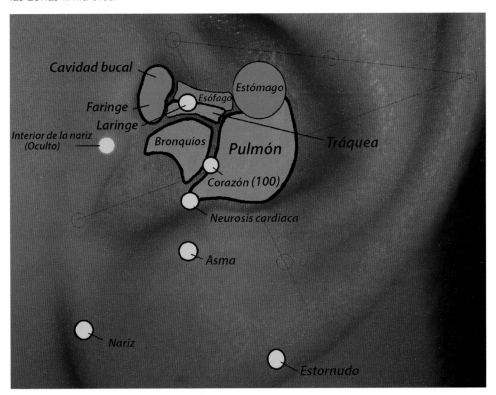

Imagen 13: Área del pulmón

También pueden reconocerse importantes interacciones cuando no sólo observamos el campo pulmonar, sino también la parte media de la oreja, y en especial el hélix. El arco ascendente del hélix suele formar aquí un semicírculo. Esta curva nos da informaciones sobre el volumen respiratorio y el aparato fonador. Cuanto más plano sea este arco, mayor será la limitación del volumen respiratorio. Unas orejas extremadamente finas nos harán pensar en una inclinación a enfermedades respiratorias. Si además encontramos una región de la escafa demasiado estrecha cabría pensar en dificultades respiratorias o problemas del lenguaje.

Tracto digestivo

El campo del estómago se encuentra al final de la raíz del hélix (cruz del hélix), en la parte central de la concha. El área del intestino está pegada al campo del estómago y transcurre por la hemiconcha superior. Aquí se pliega en la base de la concha, justo en el borde de la raíz del hélix.

El campo del estómago central domina la oreja. Si el antihélix está fuertemente arqueado hacia afuera, creando un campo del estómago amplio, sugiere una excesiva reacción vegetativa del estómago, acompañada de un alto grado de nerviosismo, que se hace patente a través del estómago o la digestión.

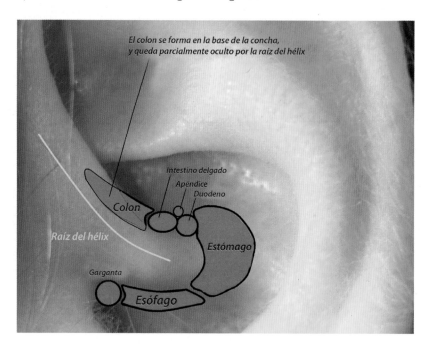

Imagen 14.: Estómago/Intestino

Como ya hemos aprendido, el segmento medio de la oreja se corresponde con el alma. Un antihélix echado para fuera, y muy marcada hacia arriba nos habla por lo general de una persona sensible, a la que los conflictos le "atacan el estómago".

Corazón/Circulación

La función del corazón se refleja en la hemiconcha inferior, en el centro del área del pulmón (1).

Prominencias en el campo del pulmón-corazón, puntos enrojecidos, "granos exuberantes", etc. en la hemiconcha inferior son señal bastante inequívoca de estasis en estos sistemas orgánicos. En semejantes casos, los pacientes se quejan con frecuencia de taquicardias esporádicas, sensación de angustia en el pecho y de hartazgo. Cuando encontramos oquedades o una clara falta de riego sanguíneo (zonas blancas de la piel) en esta área.

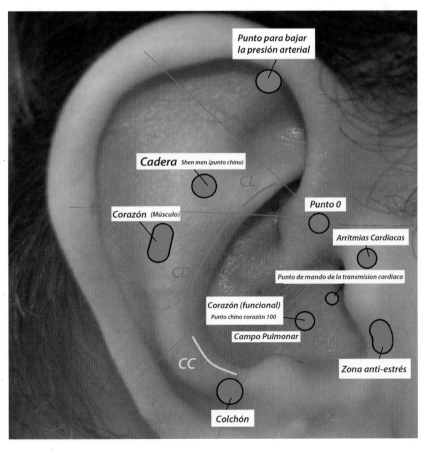

Imagen 15: Corazón/Circulación

Son señal de vacío energético. En un caso semejante no hablamos del corazón como órgano, sino como función, en el sentido de "circulación". Cuando se trata de un problema puramente orgánico, éste se reflejará en la escafa, a la altura de la octava vértebra dorsal. Aquí solo encontramos al corazón como función orgánica (2).

Si vemos que en el lóbulo se hace reconocible el llamado surco del estrés (3), además de una incisura intertrágica muy estrecha, podemos pensar en un problema de origen hormonal como causa de la anomalía circulatoria. Otro signo sería una raíz del hélix (corta, que cae abruptamente en la concha). Algo así podría sugerir una predisposición al infarto de miocardio.

Cabeza y sistema nervioso

El antitrago como límite superior (canto cartilaginoso) del lóbulo y el propio lóbulo como tal forman el área en la que se refleja la cabeza y todos sus órganos. El lóbulo externo es la superficie de proyección de los órganos de la cabeza, sin contar el cerebro. El cerebro, las funciones cerebrales se reflejan fundamentalmente en la cara interna del antitrago. A partir del tamaño y estructura del lóbulo no se pueden sacar conclusiones relativas al tamaño de la cabeza o la capacidad mental del cerebro.

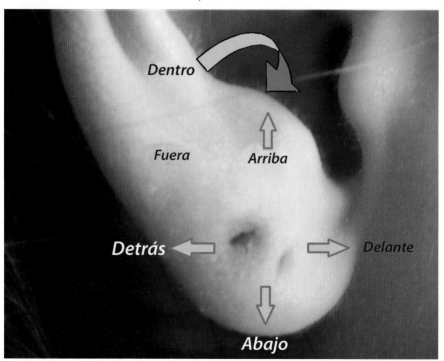

Imagen 16: - Cabeza

La mayoría de los puntos que pueden encontrarse aquí tienen un marco de actuación muy complejo y habría que tratarlos con prevención y cuidado. Las manipulaciones del lóbulo siempre tuvieron un sentido en otros tiempos y otras culturas (mejora de la vista, mayor fertilidad, muestra de la pertenencia a un determinado grupo, etc.).

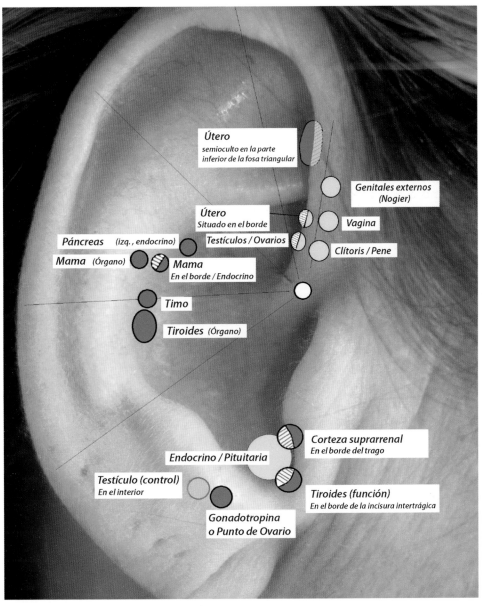

Imagen 17 Regulación genital y endocrina.

La sociedad moderna ha olvidado por completo el sentido primigenio de estas tradiciones. Los pendientes y demás objetos decorativos se colocan en la oreja y otras zonas reflexológicas como la nariz, el ombligo, etc., sin considerar que ello tendrá una incidencia directa en nuestro organismo (dolores de cabeza, nerviosismo, depresiones). Sobre todo la parte exterior del hélix (Sistema Nervioso Central) y las zonas ocultas por el ala del hélix (canal vegetativo) son las áreas que afectan al sistema nervioso. Aquí se reflejan los problemas que atañen al sistema nervioso, y desde aquí se puede incidir en las funciones del mismo. Ámbitos importantes del cerebro se reflejan en el lóbulo, especialmente en la cara oculta del antitrago. Desde aquí pasan al antemuro, donde se convierten en puntos de mando nerviosos y endocrinos (la médula llega hasta la cuarta cervical aproximadamente).

Regulación genital y endocrina

Los genitales externos e internos se reflejan como órganos en la raíz del hélix.
Adicionalmente encontramos una serie de puntos de regulación y reflejos de interacciones funcionales, que inciden en la complejidad de la patología. Así, por un lado, tenemos por ejemplo el punto Gonadotropina, que Nogier bautizó como Punto Maestro de los Genitales. Éste se encuentra en el antitrago, por debajo de la incisura intertrágica. Su situación es descrita como sigue: el borde superior del antihélix puede compararse con una serpiente; la cabeza de la misma es el antitrago. El ojo de la serpiente marca el punto Gonadotropina.

El borde de la incisura, la curvatura de la concha y la base de la concha en la región de la incisura intertrágica son las áreas en las que se reflejan los puntos de regulación hormonal. Un estrechamiento visible de esta zona nos hará pensar en una ralentización de los procesos hormonales, mientras que una incisura relativamente amplia nos señalará un metabolismo acelerado, con todas las consecuencias que ello puede tener en la sexualidad.
Semejantes conflictos conducen no pocas veces, mediante problemas sexuales, a dolencias del tipo de la migraña asociada al dolor pélvico, el útero miomatoso o modificaciones de los genitales externos. Unos lóbulos separados también invitan a pensar en una disposición a procesos de torsión adnexal. Un enrojecimiento agudo de los lóbulos podría, en un contexto semejante, señalar una dolencia aguda a este nivel.

Las interacciones endocrinas en la base de la concha tienen diferentes niveles funcionales y de mando:
En el ámbito de la hemiconcha inferior, desde el borde de la incisura intertrágica, sobre el cartílago de la incisura y en la base de la concha encontramos reflejos de la regulación central de las funciones endocrinas (Hipófisis).
Un estrechamiento de la incisura intertrágica delata una falta de flexibilidad y como consecuencia de ello un excesivo potencial de excitación hormonal.
Cuando la incisura intertrágica es demasiado amplia, nos encontramos con unos procesos

hormonales en los que falta la estructura, con la consiguiente pérdida de control.

La estrechez o amplitud, cuando superan los límites normales, siempre delatan una tendencia al desbordamiento. Signos ópticos como abultamientos, oquedades, granitos o pigmentos cromáticos son otras señales de las reacciones del sistema hormonal.

Riñon y Vejiga

Ambos órganos se reflejan (además del estómago, el intestino, el hígado y el páncreas) en la hemiconcha superior, en un sector de la cruz inferior del antihélix, entre las vértebras D12 y L3.

Cuando la hemiconcha superior es muy estrecha, podemos partir de la base de que hay una disfunción. Inflamaciones o una coloración blanquecina indican un vacío energético y cuando el tono es rojo, un exceso.

2.2 Signos y vasos de la oreja

Los vasos y los demás signos que se perciben en la oreja pueden haberse generado por problemas corporales o por predisposiciones del paciente. Aquí cuentan entre otras cosas zonas blanquecinas o enrojecidas, inflamaciones edematosas y, por supuesto, cambios en la estructura como nodulitos, granos o porosidades excesivas, lunares, eccemas, etc. Estos signos son topoestables, o sea que siempre tienen una conexión directa con el órgano o sistema orgánico, o con las interacciones funcionales que se reflejan en la localización del signo correspondiente.

Por supuesto que la oreja puede tener una mejor o peor irrigación sanguínea. Esta se produce a través de arterias y arteriolas, que nacen en la arteria carótida externa, así como mediante las venas y venolas encargadas del retorno sanguíneo. Se ha comprobado que en las zonas con mayor densidad de vasos sanguíneos tiene lugar una transmisión de estímulos especialmente efectiva.

La importancia diagnóstica de los vasos de la oreja es limitada, mientras que el efecto terapéutico de la inervación de un vaso con frecuencia es asombrosa. Siempre que los vasos sean visibles, éstos se formarán en relación a una situación energética (estasis) de la zona organotrópica en cuestión.

Podemos determinar la zona afectada en base a la somatotopía de la oreja. En ello diferenciamos los vasos venosos de los arteriales:

Los vasos venosos son rígidos y abultados, algo más profundos y su color es más bien azulado. Muchas veces no los percibimos hasta que aplicamos la acupuntura. Suelen advertir de problemas crónicos o determinadas disposiciones. Con frecuencia se trata de avisos de posibles dolencias que podrían aparecer en el futuro, de problemas latentes. Evidentemente, es importante considerar una disposición semejante en el tratamiento de un problema agudo. Un vaso de este tipo lo trataremos en la medida en que encontremos un punto doloroso. El estímulo sobre el vaso puede llevarse a cabo, bien mediante una punción (mini sangría) o colocando sencillamente una aguja.

Los vasos arteriales pueden verse con frecuencia sin necesidad de manipulación previa. Son delgados, rojos y poco abultados. Por lo general reflejan un trastorno agudo (dolor, bloqueo energético) y su manipulación suele traer consigo éxitos asombrosos (e inmediatos).

Resulta de especial interés observar el recorrido de los vasos. Las venas o arterias que transcurren paralelamente al reflejo de las estructuras orgánicas señalan problemas complejos, con frecuencia relacionados con una predisposición. Pueden significar trastornos o dificultades en el desarrollo orgánico.

Vasos de recorrido más bien vertical, que llegan o atraviesan un órgano a través de una determinada área orgánica, están claramente relacionados con trastornos en este ámbito orgánico. Su situación siempre es topoestable, y su existencia siempre indica problemas energéticos en el ámbito orgánico afectado.

La manipulación de vasos sanguíneos es especialmente eficaz cuando se trata de problemas funcionales o de una dimensión más compleja.

La acupuntura de vasos siempre tiene lugar en un punto agudo (y por lo tanto dolente) que se encuentra en el mismo. El recorrido y la situación de los vasos siempre tiene una posible interpretación orgánica y nunca es casual.

Significado de los vasos sanguíneos de la oreja

1.Ubicado en "musculatura de la pierna". Si se trata de un vaso venoso podría señalar problemas de crecimiento en niños, incluso enanismo. Aunque también puede referir problemas en la circulación venosa de un adulto.

2. Este vaso transcurre verticalmente a la fosa triangular, recorre la zona de la cadera, para después transcurrir horizontalmente al hélix, desembocando en la escafa, a la altura del tubérculo de Darwin. Un vaso semejante podría delatar una disposición alérgica. Es necesario, por tanto, corroborar si estamos en lo cierto.

3.Semejantes vasos, que recorren la columna vertebral para desembocar aquí delatan, cuando son de naturaleza arterial, un problema agudo, probablemente relacionado con dolor. Si son venosos podríamos concluir que se trata de una disposición que, o todavía no se ha manifestado, o tiene una relación causal con un problema agudo actual. La minisangría de un vaso arterial, sobre todo en casos agudos, puede tener un

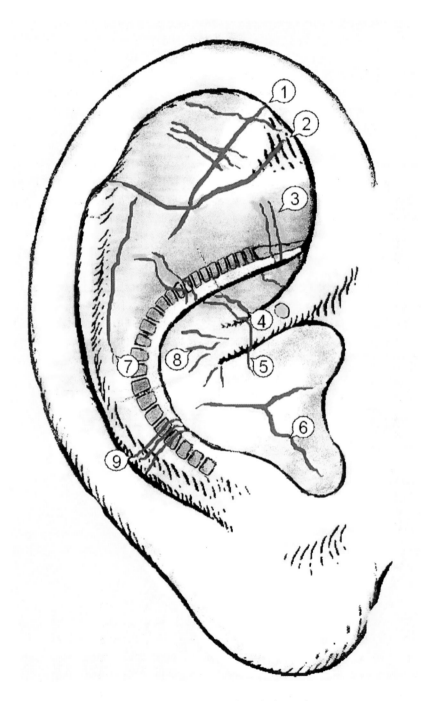

Imagen 18: Vasos sanguíneos en la cara anterior de la oreja

fuerte efecto. A veces el paciente refiere una importante relajación, otras una fuerte disminución del dolor.

Nota: para la punción de un vaso de la oreja precisará una lanceta. La aguja no suele servir para este fin.

En situaciones excepcionales se da una minisangría de manera sorpresiva y casual, tras sacar una aguja. En ese caso podemos partir de la base de que se producirá una relajación relacionada con el problema tratado.

4. Este vaso recorre la hemiconcha superior, por la base de la concha, entre el hígado e intestino delgado (oreja derecha) o páncreas en intestino delgado (oreja izquierda). Podría tratarse de una infección. Si es arterial, puede tratarse de un problema agudo; si es venoso, de una patología latente

5. Este vaso pasa cerca del Campo del estómago, atravesando la raíz del hélix. Va desde el esófago al intestino delgado, desembocando en el hígado. Cabe pensar en un problema hepático dominante, probablemente acompañado de varices esofágicas.

6. Este vaso del campo pulmonar se bifurca. Un brazo se dirige hacia los bronquios, el otro desemboca en la zona endocrina. En este caso podría tratarse de una diatesis espásmica de origen endocrino, manifestada en el pulmón y los bronquios (Pseudo-Krupp).

7. Este recorrido (húmero/codo/antebrazo) puede llevarnos a pensar en trastornos de crecimiento, que o bien tienen que ver con un problema agudo (parálisis, dolores, paresias musculares), o que podría dar lugar a alguna dolencia en el futuro
2
Hay que señalar que una predisposición no tiene porqué provocar obligatoriamente una determinada enfermedad.

8. Aquí tenemos una constelación especial, donde diferentes vasos arteriales confluyen en el campo del estómago. Ello delata un problema manifiesto. Este dibujo se ve con frecuencia tras operaciones de estómago.

9. Semejantes recorridos indican bloqueos, dolor o merma en la movilidad. En el dibujo transcurren desde la columna cervical. Estos vasos arteriales marcan bloqueos, dolor o algún otro problema a tomar en serio.

Los signos, puntos y vasos reflejados en la cara posterior de la oreja se corresponden con la somatotopía de la cara anterior. Tanto a nivel de órganos como en el plano de las regulaciones nerviosas y endocrinas del antemuro. Aunque se asume que el tratamiento de la parte posterior tiene sobre todo un efecto sobre los procesos motores.

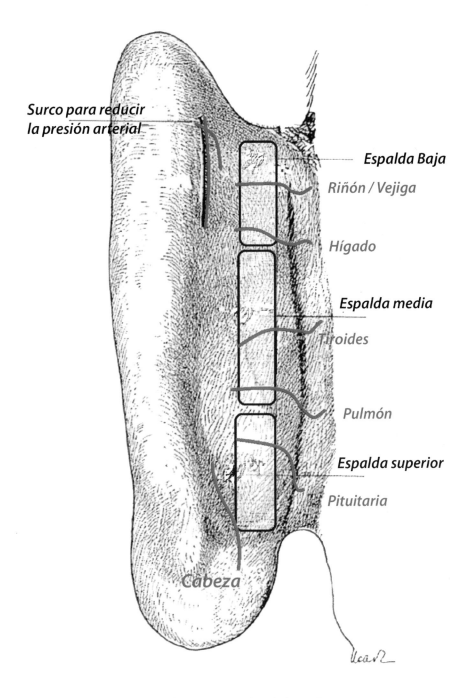

Imagen 19: Vasos sanguíneos en la cara posterior de la oreja

Los vasos de la parte posterior suelen delatar bloqueos energéticos, con las consiguientes disfunciones orgánicas. Los vasos que transcurren por el surco hipotensor, o que lo atraviesan (punto 105 según König/Wancura) indican claramente que el paciente podría ser hipertenso.

2.3 Galería de orejas

Las páginas que siguen ofrecen al lector toda una serie de orejas diferentes. ¿Por qué una galería de orejas semejante? Las fotos muestran en primer término lo diferentes que pueden ser unas orejas de otras. Son tan diversas como sus portadores. El hecho de que a partir de la forma y estructura de una oreja podamos descubrir detalles de estas personas, sobre sus reacciones a los estímulos del entorno, sus disposiciones patológicas, etc. hace que muchas veces la observación de orejas se convierta en una verdadera obsesión. Uno de los grandes de la auriculoterapia solía decir que en cierta ocasión se había topado con "una oreja muy especial" y que siguió a esa persona hasta que pudo observar la oreja con todo detalle.

Ello le llevó tiempo y no pocas complicaciones, de modo que no llegó a la cita que tenía.

Lo que no podemos pensar es que si nos dedicamos a mirar orejas vaya a pensar la persona en cuestión que nuestro interés se limita a una cuestión puramente científica. En el mejor de los casos, se trata de una mujer hermosa que le sonríe a uno pensando que lo ha mirado. Otras veces sucede lo que me ocurrió una vez con un adolescente berlinés, que me espetó: "¿Qué miras, viejo?" La intención de esta serie no comentada de imágenes no es otra que permitir al alumno un acceso al diagnóstico visual libre de prejuicios. Con la ayuda de todo lo aprendido hasta el momento es posible centrarse únicamente en la oreja sin más. Mejor todavía sería hacerlo en grupos de trabajo, a ser posible con una supervisión, para compartir las informaciones que nos ofrece cada oreja.

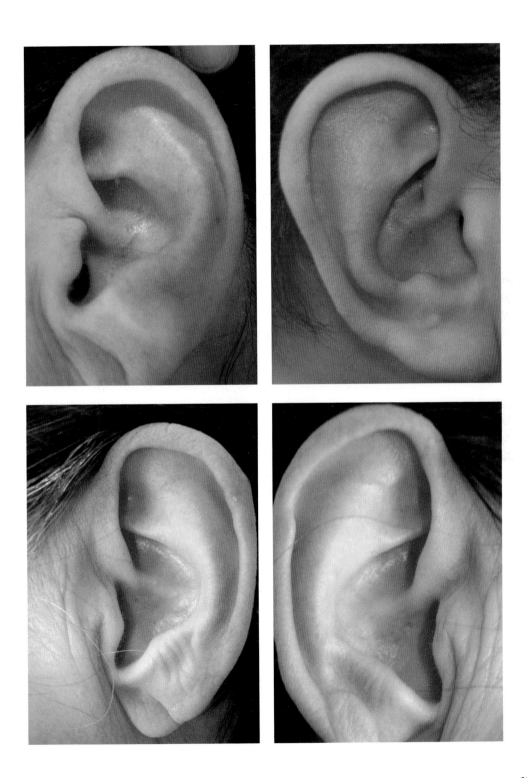

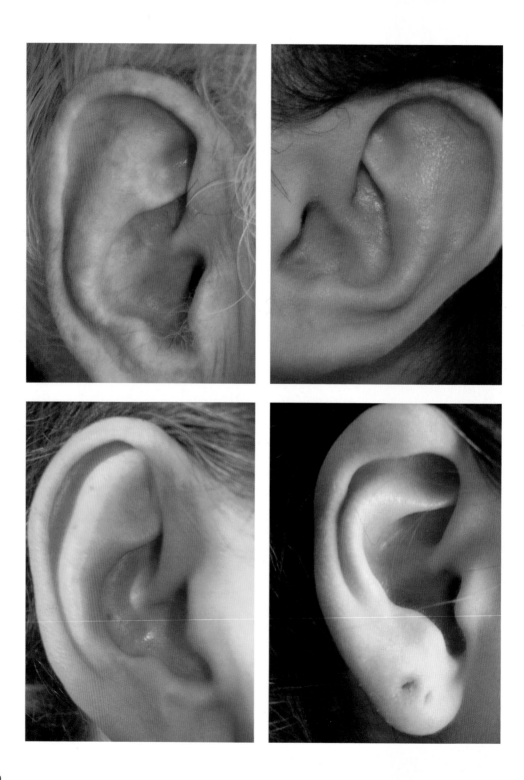

LA PRÁCTICA
DE LA AURICULOTERAPIA

Capitulo 3. Práctica de la Auriculoterapia Sistema Noack

Cuando dos terapeutas discuten sobre Auriculoterapia, es posible que estén hablando de cosas diferentes. Por eso es importante saber exactamente la manera en que cada cual busca la sanación a través de la oreja. Hay diferencias fundamentales, que no dependen tanto –como cabría pensar- de las diferentes "escuelas" de auriculoterapia: europea, china o rusa. Lo que de verdad distingue los diferentes modelos es la manera en que conciben la curación.

A partir de ahora vamos a describir una estrategia que se corresponde con el modus operandi desarrollado originariamente por Nogier, y que parte de la siguiente premisa: las interacciones principales que conducen a un síntoma agudo, o que generan la dolencia actual del paciente se reflejan en la oreja a partir de una proyección lógica.

Sobre la base de esta correlación de desajustes orgánicos, en función del paciente como persona individual, queda reflejado en la oreja el nivel agudo de la enfermedad de manera fiable. Además de la importancia diagnóstica de este concepto, siempre encontramos así el camino terapéutico realmente correcto.

Esto es algo que dista mucho de los conceptos y sistemas que conocemos de Bahr, Elias, Strittmatter, etc.

Su concepto terapéutico es muy limitado, pues se basa en el paradigma médico de que todas las enfermedades o bien surgen de la célula, o son producto de los procesos metabólicos celulares ocasionados por los agentes patógenos, o tienen su origen en disposiciones genéticas. En base a ello basan su diagnóstico convencional, definen una determinada dolencia, desarrollando la estrategia terapéutica a partir de su manera de entender las interacciones patológicas. Así es como abordan la terapia por la oreja.

3.1 El concepto estratégico

El organismo se encuentra en un flujo permanente. Todos los asuntos orgánicos, tanto los pasajeros, que desaparecen sin dejar huella, como los que provocan manifestaciones patológicas, tendrán su reflejo en la oreja. Casi todo se verá reflejado en la oreja. Para poder reconocer adecuadamente, bajo estas circunstancias, una situación aguda, se hace necesaria una estrategia que nos permita encontrar (y tratar) los puntos que conforman la interacción causal que nutre la enfermedad o el síntoma en cuestión.

Éste es el camino que nos mostró Nogier. Ya en sus primeras publicaciones, Nogier señalaba que en caso de enfermedad no sólo se reflejaban los puntos del órgano o sistema orgánico afectado, sino que las interacciones causales de la dolencia se reflejaban en la oreja en una línea energética.
Nogier descubrió que las "líneas de tratamiento" con mayor relevancia eran las que atravesaban toda la oreja desde el punto 0, encontrando su punto final en el ala del hélix.
Todos los puntos manifestados en una línea semejante había que verlos en relación causal entre sí, y con la patología en cuestión.
Informaciones adicionales las darían determinados puntos del borde de la oreja (en el ala del hélix, el borde del lóbulo, y el borde del trago), cuando se encontraban al final de una línea que forma un ángulo de 30 grados, 60 o 90 grados en relación a la línea de tratamiento inicial. Estos puntos no sólo tienen una relación adicional con la patología, sino causal.

El principio de la auriculoterapia, basado en estas nociones, es sencillo y fácil de practicar:

1. Un desajuste orgánico siempre se refleja en toda su complejidad en la oreja. Los puntos o áreas irritados son más sensibles al dolor y si seguimos un determinado sistema de trabajo podremos dilucidar las causas patológicas de los síntomas.

2. Cada punto afectado debe verse primeramente como un reflejo organotrópico. Podemos partir de una interrelación patológica en caso de que ciertos puntos dolorosos puedan ser relacionados mediante una determinada estrategia. Este sistema de trabajo se basa en el hecho de que todos los síntomas interrelacionados que producen una dolencia tienen una coherencia geométrica en la oreja.

3. La interrelación básica de una dolencia se refleja en una línea que atraviesa el centro de la oreja (punto 0), a la que denominaremos línea de trabajo. Informaciones complementarias nos las ofrecerán una serie de líneas adicionales (líneas de correspondencia), que transcurren en un ángulo de 30, 60 o 90 grados con respecto a la línea de trabajo. En el punto de intersección de estas líneas con el borde de la oreja encontraremos puntos (puntos de correspondencia) que ofrecen informaciones adicionales sobre la raíz patológica. Estos pueden ser incluidos en el tratamiento.

¡Aquí tenemos la salida del caos! Esta estrategia nos permite elegir, entre todos los puntos de la oreja que reaccionan, aquellos que muestran una interacción causal con la dolencia (mediante la línea de trabajo y los puntos de correspondencia). Ésta es la base de las enormes posibilidades que nos ofrece la auriculoterapia. La importancia de este hecho se basa en que con esta estrategia encontramos una interacción patológica tanto para el diagnóstico como para el tratamiento.

Hasta qué punto es significativo este descubrimiento del reflejo geométrico de las enfermedades en la oreja queda patente en cuanto observamos las áreas de la oreja y los órganos y sistemas orgánicos en ellas reflejados.
Como corresponde a su origen embrional (ver Somatotopía), en la concha se forman los órganos endodermales (estómago y tracto intestinal, órganos internos); en la región ubicada entre la concha y el hélix las somatotopías mesodermales (huesos, músculos, vasos, corazón, riñón, genitales), y en la cara posterior, el borde del hélix y el lóbulo el ectodermo (sistema nervioso y piel).

Esta línea de tratamiento transcurre desde el punto 0 por todas esas somatotopías. Por ello, en la mencionada línea tendremos tanto puntos relacionados con los órganos internos, como con los órganos externos y las regulaciones (sistema nervioso, sistema endocrino), con la consiguiente influencia en los diferentes niveles que, entrelazados, conforman una interacción patológica. Podemos partir de la base de que todos los conflictos de los órganos, sistemas orgánicos y elementos de regulación tienen una relación causa-efecto y se influyen mutuamente en sus reacciones.

Aquí encontramos, por cierto, una estrecha relación con la terapia segmental de Head (zonas de Head). Según ello, las interacciones patológicas son descritas como sigue: la piel, el tejido segmental y los órganos internos, que son inervados por el mismo segmento de la médula espinal, forman una unidad funcional, en la que cada tramo influye en los otros a nivel reflexológico.

3.2 Fundamentos de la práctica

Antes de comenzar con la práctica de la auriculoterapia, debemos aclarar una serie de cuestiones básicas.

¿Qué es exactamente un punto, y cómo lo encontramos?
¿Qué se entiende por punto 0, y qué importancia tiene?
¿Qué entendemos por "canal vegetativo"?
¿Cómo se refleja la columna vertebral en la oreja?
¿Qué significa el término "lateralidad", y qué importancia se le da hoy en día en la práctica terapéutica?
¿Qué entendemos por el término RAC (Reflejo-Aurículo-Cardial) o reflejo de Nogier, y cómo nos servimos de él?

3.2.1 El punto afectado de la oreja como reflejo de un desajuste corporal

Los puntos de la oreja son los puntos finales de un reflejo entre una determinada parte del cuerpo (órgano, sistema orgánico, donde por lo general hay un determinado problema) y la correspondiente área o región de la oreja. Son reflejos o espejos de ciertos desequilibrios orgánicos. En este sentido, los puntos de la oreja no siempre están presentes como tales. Sólo muestran su virulencia cuando un determinado problema corporal desata esa reacción. El término "salud" no es absoluto, sino que se trata más bien de un estado de equilibrio de todos los procesos orgánicos que garantizan las funciones vitales. De ahí que en el hombre "sano" también se puedan detectar puntos de auriculoterapia. Otros elementos que llaman la atención también surgen de este modo.

La oreja es al mismo tiempo un cuadro de mando, que nos permite observarlo, y un pupitre de mando, a través del cuál podemos influir en la enfermedad." (Nogier)

Nogier descubrió que hay, cualitativamente hablando, dos tipos de puntos en la oreja. Por un lado, queda representado el órgano afectado; el efecto de la manipulación de estos puntos es básicamente local (organotrópico). Y por otro, en un punto encontramos interacciones de una dolencia en su marco de acción principal (causa hormonal o nerviosa); la manipulación de semejantes puntos tiene efectos complejos. Nogier denominó a los puntos más importantes, debido a la complejidad de sus efectos, puntos maestros o de mando. Tras ellos se esconden causas e interacciones patológicas, cuyo carácter reflexológico no podrían explicarse con claridad sin tener en cuenta el plano de las interacciones orgánicas. Y por ello son ignorados con frecuencia.

Nunca se puede prever con exactitud, y menos aún a partir de una indicación convencional, en qué puntos de la oreja se refleja una enfermedad.
De ahí la importancia de una correcta búsqueda y valoración de un punto. Y es que el éxito terapéutico dependerá directamente de ello. Hay que observar los siguientes aspectos:

-Sólo pondremos agujas en puntos que puedan ser localizados
-Los puntos son realmente efectivos si son tratados con exactitud y precisión
-Dado que cada punto aislado tiene una acción meramente organotrópica, la auriculoterapia será mucho más efectiva en la medida en que la combinación de puntos se ajuste a las interacciones de la patología.

Para la búsqueda de puntos son especialmente relevantes las siguientes conclusiones:

¡Es posible ver los puntos activos de la oreja!

Los puntos afectados de manera aguda son muchas veces localizables a simple vista. Un granito rojo, un poro que ha formado una oquedad profunda, una manchita, etc, delatan un cambio, y nos invitan a pensar en una patología en los órganos efectores relacionados con el punto en cuestión. Aunque el diagnóstico visual no nos delata más que una mínima parte de los síntomas corporales. La realidad es que continuamente se producen cambios en el cuerpo, y estos cambios se reflejan naturalmente también en la oreja.

¡Es posible palpar los puntos de la oreja!

Los puntos afectados suelen ser muy sensibles. Pero solo duelen cuando los apretamos. La intensidad con que el paciente describe el dolor me sirve de referencia para evaluar la virulencia de la patología.
Para llevar a cabo un examen semejante, la auriculoterapia se sirve del instrumental

más sencillo. En principio, basta con una aguja gruesa de bordar. Aunque puede que esto no parezca serio, ¿verdad? Entonces, recurriremos a un buscapuntos o palpador de presión (de 120 a 150 gramos). .

¡Es posible medir los puntos activos!

Otra característica de los puntos activos es que muestran un cambio en la resistencia eléctrica cutánea, que es posible detectar y medir con buscapuntos electrónicos.

En el caso de los aparatos más sencillos, el terapeuta tiene que tocar al paciente a la hora de encontrar los puntos, para formar con éste un circuito energético, algo imprescindible para medir la resistencia de la piel. El aparato (como fuente eléctrica), el paciente y el terapeuta conforman así un circuito cerrado. Aunque la energía que fluye es tan mínima, que no provoca la menor molestia. Hay que ajustar el aparato a las partes de la piel no afectadas por ninguna interferencia patológica. Así es posible determinar la resistencia cutánea "normal", de modo que cuando el aparato registra un estado "normal" no puede fluir electricidad alguna. Cuando topamos con una resistencia cutánea menor, o en general con algún cambio, que refleje una disarmonía en el punto, este cambio de resistencia actúa como un interruptor. En cuanto disminuye, la electricidad puede fluir, y se enciende una lamparita.

3.2.2 El punto 0

El punto 0 se encuentra en la raíz del hélix. Aquí se puede palpar una clara muesca. ¡Ojo!: la inexactitud de las ilustraciones hace que este punto sea buscado casi siempre demasiado abajo. En la raíz del hélix, justo encima del campo del estómago, hay otra muesca, en donde se localiza algo bien distinto, el Diafragma.

El punto 0 tiene una importancia enorme. No sólo es el punto final de un reflejo orgánico, sino que se corresponde con el punto Vaso Concepción 8 de la acupuntura corporal (como punto central del cuerpo). En la oreja también es el punto central geográfico y energético, y por tanto el punto de partida de todas las líneas energéticas (líneas de tratamiento) de la oreja.

A través del punto 0 se influye en el suministro energético de la oreja. **Incidir en este punto sólo es indispensable cuando nos encontramos con una respuesta insuficiente a los estímulos o para regular una reacción**

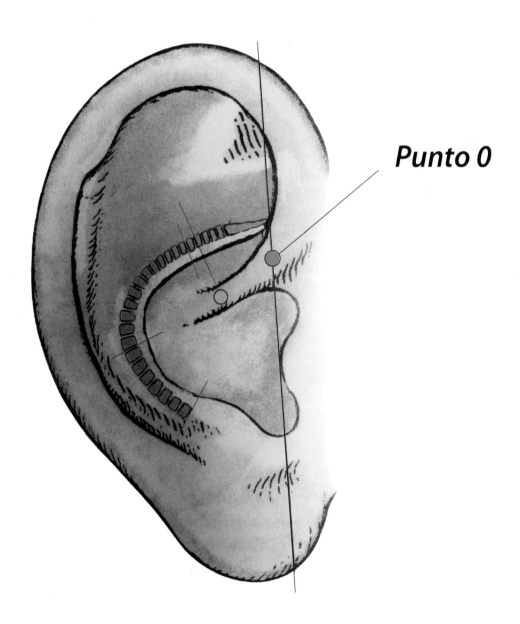

Punto 0

Imagen 20 El punto 0

energética excesiva. De ahí que no haya que incluirlo en la estrategia habitual de la auriculoterapia.

3.2.3 *El canal vegetativo*

Encontramos el canal vegetativo en la transición de la escafa con la curvatura interior del ala del hélix. Según Günter Lange, éste va desde la intersección del surco postantitrágico con el lóbulo hasta el coxis, en la raíz inferior del antihélix

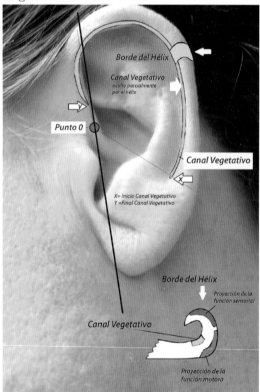

En 1975, Nogier ya había encontrado una zona de proyección de los núcleos simpáticos. Aunque según él, ésta sólo iba del surco postantitrágico hasta aproximadamente el tubérculo de Darwin, a la altura de la D11. No se ha producido una discusión al respecto.

Lo que sí dejó claro Lange es que el canal vegetativo se muestra en toda su longitud bastante más sensible que las reflexiones correspondientes del hélix. Esta circunstancia es vista como una expresión de la correspondencia vegetativa y como una reacción especial a la interacción patológica representada por la línea de trabajo. Nos servimos de la especial sensibilidad de las reacciones en el canal vegetativo para decidir cuál es el segmento más afectado.

En su relevancia práctica fue definida como la zona en la que se producía el estímulo sanador a nivel vegetati-

Imagen 21: El canal vegetativo

vo. Por eso los puntos que aquí se encuentran son parte constitutiva de una sesión compleja. Lange bautizó este canal de la correspondencia vegetativa como "canal vegetativo".

3.2.4 La columna vertebral en la oreja

La columna vertebral se refleja como una formación vertical en el antihélix y la raíz inferior del antihélix. Tanto las vértebras y los discos, como la musculatura y los tendones los encontramos, sin embargo, reflejados en un plano horizontal del antihélix. La zona reflexológica de la columna en el antihélix y la raíz inferior del antihélix comienza en la transición del antitrago al antihélix, junto al surco postantitrágico, y finaliza oculta por el ala del hélix al final de la raíz inferior del antihélix.

Las diferentes vértebras aparecen en un orden lógico. El atlas (articulación occipito-atloidea), queda marcada en una estructura cartilaginosa ligeramente elevada, conformando un bultito palpable al comienzo del antihélix. Aquí empieza la columna vertebral. La zona de la columna cervical ocupa aproximadamente una cuarta parte de la longitud del antihélix (A). Para encontrar el comienzo de la columna dorsal no tenemos más que acariciar con la uña hacia arriba la cumbre del antitrago

A la altura de la raíz del hélix, en la concha, es posible palpar una pequeña muesca en el canto del antihélix. Aquí tenemos la transición de la columna cervical (C7) a la primera dorsal (D I).

A partir de aquí, el canto del antihélix se hace más superficial, menos prominente. La columna dorsal (B) finaliza a la altura de la bifurcación de ambas raíces del antihélix. La transición de la columna dorsal (D12) a la primera lumbar (L1) la encontramos en otra muesca palpable del antihélix.

Desde aquí –esto nos sirve para reconocerlo- el relieve del antihélix se hace mucho más afilado.

La columna lumbar y el sacro se reflejan en la raíz inferior del antihélix (C y D), repartiéndose este espacio más o menos a partes iguales.

3.2.5 Lateralidad

Todo tiene su orden. Las patologías de la mitad derecha del cuerpo reflejan sus señales en la oreja derecha, y las del lado izquierdo en la oreja izquierda. El hígado, el apéndice

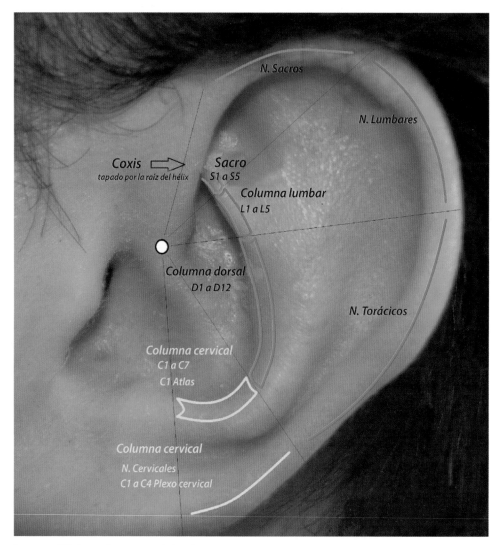

o una ciática del lado derecho se reflejarán, por tanto, en la oreja derecha, mientras que un problema de la rodilla izquierda aparecerá reflejado en la oreja izquierda.

Imagen 22: La columna vertebral.

Diferentes estudios han constatado que la función de ambos hemisferios cerebrales juega un papel importante a la hora de valorar una patología. Según Ornstein ("Psychologie des Bewusstseins", 1976-Psicología de la conciencia, 1976) en el caso del diestro el hemisferio izquierdo se encarga del pensamiento racional, de la acción, y el lenguaje, mientras que el derecho se haría cargo del pensamiento creativo y asociativo en imágenes, así como de la percepción inconsciente. Para el diestro es, por tanto, el lado izquierdo el dominante, y el más significativo a nivel terapéutico. Ésta es la razón por la que con frecuencia la oreja izquierda es más sensible que la derecha. En el caso del zurdo, el dominante es el hemisferio derecho. Cuando se rompe este orden, podremos decir que se descoloca la lateralidad del paciente, lo que hace problemáticas sus reacciones. Encontramos una inestabilidad en la lateralidad entre otros en los diestros "forzados", que nacieron como zurdos. El paciente confunde con frecuencia la derecha con la izquierda, tiene problemas de orientación, etc.

En cierta ocasión me perdí de camino a una conferencia y pregunté cómo llegar en la primera gasolinera que encontré. El empleado era un hombre especialmente amistoso. Me acompañó a la calle y me explicó que primero tenía que ir a la derecha −a la vez señalaba con la mano hacia la izquierda-, después tenía que llegar hasta el cruce y después girar a la izquierda −a la vez señalaba con la mano hacia la derecha. Lo miré inquisitivamente y me volvió a mostrar el camino de nuevo con los mismos gestos corporales.
Fui tal y como me había dicho (ignorando los brazos), primero a la derecha y después a la izquierda y llegué a donde quería.
Apenas se lleva a cabo hoy día el tratamiento preventivo de la lateralidad. La auriculoterapia moderna europea trata por sistema ambas orejas. Así se produce una compensación natural de los hemisferios izquierdo y derecho, lo que hace innecesario el tratamiento de los puntos de lateralidad.

Apenas se lleva a cabo hoy día el tratamiento preventivo de la lateralidad. La auriculoterapia moderna europea trata por sistema ambas orejas. Así se produce una compensación natural de los hemisferios izquierdo y derecho, lo que hace innecesario el tratamiento de los puntos de lateralidad.

3.2.6 El RAC o reflejo de Nogier

En su empeño por lograr aún más claridad en el examen de la oreja, y con el objeto de que el terapeuta pudiera determinar por sí mismo (sin depender de la información subjetiva del paciente) cómo era la situación energética del área afectada, el Dr. Nogier descubrió en 1968 que realizando el más mínimo estímulo cutáneo sobre la oreja se producía una reacción ortoestática de las arterias, que podía ser evaluada. Nogier comprobó que ante un estímulo mínimo de la piel cambiaba por breves instantes la onda pulsátil de la arteria radial. Y que este fenómeno podía corroborarse en el proceso estiloideo, la apófisis del radio. La onda pulsátil desatada mediante un estímulo semejante, por ejemplo en la oreja, se desplaza, o bien en dirección al pulgar, o bien hacia el codo. Este fenómeno tiene validez diagnóstica. En los años 80, Nogier estuvo trabajando en la demostración de los fenómenos palpables del RAC.

Se examinaron y corroboraron 3 reacciones diferentes:

El efecto rebound (rebote)
El RAC positivo
El RAC negativo

Únicamente me limitaré a describir la aplicación y posibilidades del RAC. Aunque no haya una refutación científica, notarán que existe el RAC y que si se practica correctamente se adquirirá la necesaria sensibilidad para su aplicación.

En primer lugar comprobamos el pulso en la mano izquierda del paciente. Para ello colocamos nuestro pulgar a la altura de la arteria radial, muy cerca de la muñeca. Ahora tomamos el pulso y registramos el punto en que percibimos la onda pulsátil. Con una lámpara Heine de progresión continua recorreremos con un haz de luz muy débil unos pocos milímetros de la piel, la sien o la frente. El estímulo no debe ser demasiado fuerte, ya que el cuerpo está acostumbrado a los estímulos normales del entorno y no reacciona a éstos de manera espontánea. Mediante este estímulo se provoca un microestrés en el cuerpo, al que responde con una "contrarregulación". Esta reacción se percibirá en el pulso como un RAC positivo. O sea, la onda pulsátil aumentará por breve espacio de tiempo y se desplazará hacia el pulgar del paciente. Por lo general esta reacción es breve y desaparece independientemente de la duración del estímulo. Aunque ésta es mesurable durante más tiempo si el estímulo es débil que si es fuerte.

Cuanto antes desaparezca el RAC al aumentar la intensidad del estímulo, por ejemplo al incrementar la intensidad lumínica, mayor será la estabilidad vegetativa del paciente.

Si queremos determinar la situación energética de determinados puntos o áreas, debemos buscar estos puntos o zonas en la oreja.
Para los principiantes es conveniente localizar y marcar los puntos primero con el buscapuntos.
Después vamos al punto con un aparato que ofrezca un estímulo de baja intensidad por ejemplo un martillo de oro o plata, uno blanco-negro o uno eléctrico con polaridad +/- (3 o 9 voltios).

Pero ¡atención!, únicamente podemos acercarnos al punto a medir. ¡No debemos tocarlo! Independientemente de si me sirvo del diodo positivo (oro) o negativo (plata) veremos cómo reacciona el pulso. Primeramente comprobaremos un aumento en la intensidad del pulso. Este hecho por sí solo nos indica que se trata de un punto virulento.

Si además comprobamos un desplazamiento de la onda pulsátil, ya tenemos una información adicional sobre el punto en cuestión. En caso de que se desplace la onda pulsátil hacia el pulgar se trata de una reacción positiva, que indica que el punto cuenta con la situación energética con la que producimos el estímulo. Se trata, pues, de un "punto de oro" y es preciso tonificarlo, si es que hemos provocado el estímulo con un diodo de oro. O es un "punto de plata" y debe ser sedado, si nos servimos de un diodo de plata.

Cuando la onda pulsátil se desplaza hacia el codo, tenemos un RAC negativo. Esto significa que el lado elegido (oro o plata) no está indicado y que el punto se ajusta a la situación energética contraria.

La importancia del RAC negativo se basa en la reacción a los campos de interferencia. Si nos dirigimos con una fuente energética de estímulos a áreas con potencial estimulatorio (dientes=focos dentales) un RAC negativo significará que es de esperar un campo de interferencia en el punto que estamos estimulando.

La correcta medición del RAC y una exitosa evaluación de lo que hemos percibido dependerán de diferentes factores:

1. El pulso del paciente debe ser suficientemente perceptible. Muchas veces ocurre que el pulso del paciente es tan débil que no es posible comprobar el RAC. Ante semejantes casos, el terapeuta deberá interrumpir tranquilamente el proceso, limitándose a la búsqueda de puntos en la oreja. Si el terapeuta se dedica demasiado tiempo a buscar los puntos, dará al paciente una sensación de falta de experiencia.

2. La palpación y valoración del RAC es una cuestión subjetiva. La validez de la información recibida dependerá en gran parte de la experiencia del terapeuta. Éste deberá estar en condiciones de relativizar ciertas variaciones, y centrarse en lo fundamental.

Las cosas más insignificantes pueden llevarnos al fracaso:
El terapeuta deberá (ver arriba) tomar el pulso en el lugar correcto.
Muchas veces el pulso es demasiado fuerte en el momento de palpar el pulso.
El terapeuta deberá tener cuidado en no apretar demasiado fuerte, para medir únicamente el "pulso superficial", permitiendo los movimientos pulsátiles.
Deberá tener la suficiente sensibilidad como para poder percibir la onda pulsátil. No todos los terapeutas tienen esta sensibilidad, y esta circunstancia no sólo se debe a una piel demasiado dura en la yema del pulgar.

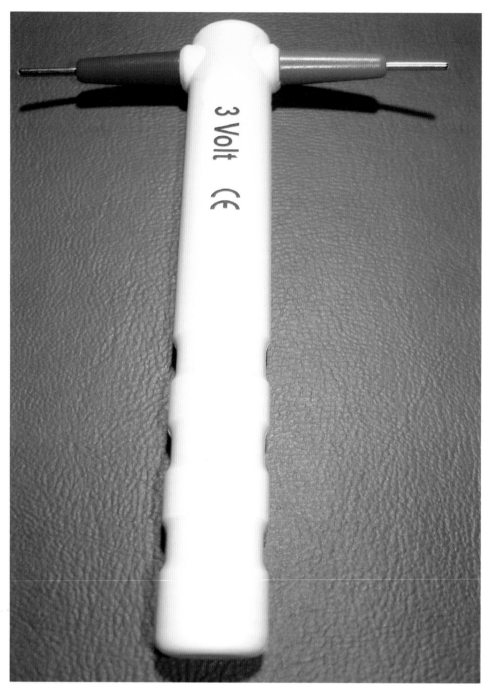

Imagen 23: Martillo eléctrico de 3 Volt

3.Otro problema es no perder la ubicación del punto, cuando lo hemos encontrado con el martillo eléctrico a partir del RAC. Por lo general, se da la dificultad de marcar este punto de algún modo, para que no se nos escape. Pero el caso es que tenemos la mano izquierda colocada en la muñeca del paciente, mientras que con la derecha mantenemos el martillito eléctrico junto a la oreja. Falta una tercera mano.
Sería mejor (como ya hemos mencionado), marcar el punto antes.

Por cierto: Para marcar el punto es importante usar colores lavables. También es preferible limpiar los puntos antes de colocar las agujas.

El trabajo con el RAC es un procedimiento bastante engorroso y sólo recomendable en la práctica si el terapeuta lo domina casi "a ciegas". Desde mi experiencia, sobre todo considerando las técnicas que utilizo para encontrar los puntos, así como mis estrategias de auriculoterapia, considero que la importancia del RAC está más que sobrevalorada. La cuestión fundamental es si realmente es necesario el RAC en auriculoterapia. (En este aspecto no hay que despreciar las posibilidades que éste ofrece a la hora de encontrar campos de interferencia, aunque no es relevante en la práctica de la auriculoterapia).
¿Qué trascendencia tiene por ejemplo saber la situación energética de un punto, si ni siquiera se cuestiona si debo usar agujas de oro o de plata? Para el uso de las agujas de acero normales no es fundamental la cuestión de si debo sedar o tonificar.

A la hora de decidir cuál es el punto más virulento —algo imprescindible para seguir determinadas estrategias- tampoco nos sirve de gran cosa el RAC.
Lo determinante en ello sería únicamente la reacción (dolor que produce) un punto.
La cuestión de cuánto tiempo habría que aplicar un láser (partiendo del supuesto de que la calidad del pulso se normalice en caso de que el tratamiento fuera suficiente) tampoco la puedo aclarar con la ayuda del RAC, ya que éste desaparece a los pocos segundos independientemente del tipo de estímulo que apliquemos.

3.3 Secuencia del tratamiento

3.3.1 Introducción

Las patologías de nuestros pacientes que están enmarcadas en problemas crónicos y toda una serie de interacciones complejas– y éste suele ser muchas veces el caso- exigen forzosamente una estrategia terapéutica causal (línea de trabajo, líneas de correspondencia, puntos de correspondencia, etc.).

Las situaciones agudas, que tengan una génesis predecible, por ejemplo dolores provocados por un accidente reciente, hay que tratarlos a nivel "organotrópico". O sea, que hay que tratar únicamente los puntos donde se refleja el problema en la oreja. Sólo hacen falta unas pocas agujas. Muchas veces no hace falta más de una aguja para solucionar el problema.

Por supuesto que hay muchos casos extremos, en los que hay que servirse de ambas estrategias. Pienso por ejemplo en casos donde la patología surge de manera espontánea (por ejemplo un ataque de ciática), pero que no han sido únicamente provocados por un problema agudo. En semejantes situaciones es importante reconocer y tratar primeramente las interacciones que han ocasionado la dolencia. Y es que, en especial cuando se trata de dolor, muchas veces no es suficientemente efectivo un tratamiento puramente sintomático.

Es posible que de entrada remita el dolor, pero la mejora no se mantendrá, ya que no hemos considerado la causa en el tratamiento.

Cada tratamiento debe comenzar, como es natural, con una anamnesis. La anamnesis es también importante para el terapeuta que acaba de obtener informaciones significativas con la ayuda del diagnóstico visual. Y me gustaría señalar que la anamnesis hay que realizarla cada vez que nos visita el paciente, ya que podemos partir de la base de que cada tratamiento provoca cambios en éste, de modo que tenemos que seguir trabajando en base a la nueva situación.

El paciente empieza a comentar sus dolencias. Aquí hay que considerar todo aquello que desde la perspectiva del paciente no tiene por qué formar parte de la patología, pero que sin embargo se corresponde al cuadro clínico. A más tardar en la génesis de la enfermedad queda claro que, mientras fue posible, el paciente ignoró sus problemas corporales y sólo fue al médico cuando no le quedó otra. Por lo general su estado actual estará marcado por toda una serie de tratamientos en el pasado lejano. Así, un adulto va arrastrando consigo una serie de enfermedades no superadas –por la sencilla razón de que fueron reprimidas. Estas dolencias siguen siendo virulentas, influyen en la patología actual y se reflejan en la oreja de uno u otro modo.

Mi consejo es: considere la patología tal y como se presenta en el momento actual.

Hay que ajustar los pasos de la terapia a aquello que podemos reconocer. El concepto terapéutico –o mejor cada paso que damos al tratar la oreja- debe partir de la patología actual, considerada de manera integral.

¡El tratamiento de un diestro comienza en la oreja izquierda, y en el zurdo en la oreja derecha!. A no ser que se trate, como ya hemos mencionado arriba, de un problema agudo, el tratamiento siempre sigue un concepto estratégico basado en las interacciones patológicas del organismo.

Esta estrategia se basa en buscar y tratar las causas que conducen a un determinado síntoma. Éstas siempre se reconocen gracias a una línea de trabajo (a veces se suman a ello los puntos de correspondencia).

La línea de trabajo, así como la constelación de puntos que de ella surge, delata el nivel actual de la enfermedad.

Los pasos a seguir son:

1. Diagnóstico visual de la oreja
2. Búsqueda de la línea de trabajo
3. Regular tensión arterial
4. Líneas y puntos de correspondencia
5. Puntos orgánicos
6. Tratamiento complementario de interacciones psicovegetativas

Dado que un organismo vivo está sometido a un continuo proceso de autorregulación, ello va acompañado de determinados cambios. Mientras estos cambios sean "transitorios", el organismo los percibirá como desajustes. Es por esto que encontramos en la oreja, además de los puntos provocados por problemas serios, toda una serie de puntos relacionados con reflejos del pasado.

Nos encontramos, por tanto, con el problema, de que en la oreja no sólo se refleja la situación aguda. Nuestro cometido es determinar qué situaciones patológicas son las más importantes, las que tienen una interacción directa con la dolencia actual. Estamos hablando, por supuesto, de sus proyecciones en la oreja.

Para el tratamiento, el paciente deberá estar en una posición que le garantice la máxima relajación. Lo mejor es que se tumbe en una camilla cómoda.

Colocamos un cojín bajo sus rodillas, para que no le molesten al cabo de un rato.

Hago una excepción con los pacientes mayores, o aquellos con problemas de movilidad, a quienes les cuesta demasiado esfuerzo permanecer largo rato tumbados.

En casos semejantes me gustaría disponer de una especie de silla de dentista, ideal en estas circunstancias. Si esto ocurre trato al paciente sentado.

El terapeuta deberá permanecer sentado junto al paciente, en una posición cómoda. El lugar de trabajo debe estar bien iluminado, y a nivel ergonómico debería permitir al terapeuta trabajar de manera relajada. Esto tiene gran importancia, ya que una buena auriculoterapia exige, además de una cierta habilidad por parte del terapeuta, que tenga una postura cómoda. El tratamiento será efectivo en la medida en que consigamos localizar los puntos minuciosamente, tratándolos con todo cuidado.

3.3.2 Pasos del tratamiento

Paso 1: Diagnóstico visual de la oreja
El tratamiento comienza con una observación detallada de la oreja. Y es que la oreja nos puede dar muchas informaciones relativas a la disposición genética del paciente: resistencia, capacidad de compromiso, constitución y energía vital. La forma y estructura de la oreja no cambian desde el nacimiento.

La oreja, como la huella dactilar, es única. Las experiencias biográficas no cambian ni su forma ni su estructura. La predisposición marca la tendencia a enfermar del paciente. Aunque también debemos observar minuciosamente las diferentes zonas del oído, con los puntos o áreas que de una u otra manera llaman la atención. Los granitos, lunares y demás particularidades, así como el tamaño y la estructura de las zonas observadas (estrechez o amplitud, una estructura clara o nada definida) pueden ser una buena herramienta diagnóstica para el observador entrenado.

Paso 2: Búsqueda de la línea de trabajo
Encontrar la línea de trabajo es el extremo más importante. Por ello es de especial importancia seguir los pasos pertinentes con exactitud. Ambas orejas son examinadas del mismo modo, y el tratamiento se ajustará al diagnóstico obtenido.
Sobre todo cuando encontramos diferentes segmentos de trabajo en ambas orejas se hace especialmente importante y lógico tratar los dos pabellones.

Primeramente, buscaremos los bloqueos en la columna vertebral. Éstos se delatan por determinadas zonas dolorosas en el antihélix y la raíz inferior del antihélix, que es donde se refleja la columna. Para ello tomamos la oreja con el índice (apoyado en el antihélix) y el pulgar (por detrás, en la cara posterior) y palpamos con una presión ligera y lo más uniforme posible, el antihélix y la cruz inferior del antihélix, hasta que ésta finaliza en la intersección con el hélix bajo el ala del hélix.

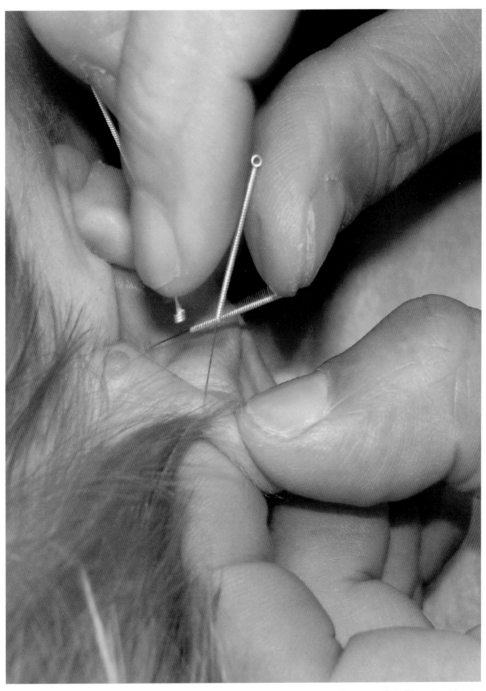

Imagen 24: El tratamiento

Imagen 25: Palpación de la columna/antihélix

El paciente percibe la presión sobre el antihélix como dolor o una sensación desagradable en los puntos donde se refleja un bloqueo de la columna vertebral. Cada zona cuya presión resulta desagradable señala un desajuste a un determinado nivel de la columna. La zona más dolorosa marca la parte de la columna más bloqueada o desajustada. Éste será el punto de partida para los pasos siguientes.

Este "segmento" afectado de la columna vertebral tiene el ancho del dedo. Precisamos un punto de intersección exacto por el que deberá pasar la línea de trabajo.

Acto seguido, el segmento del antihélix más sensible a la presión lo proyectaremos al canal vegetativo. Para ello, lo trasladaremos desde el punto 0, en toda su amplitud, hasta el canal vegetativo. Únicamente en esta zona—el resto de la oreja ya no es interesante en nuestro examen- buscaremos el punto afectado. Esto no es fácil, ya que el canal vegetativo es muy sensible y aquí tenemos una gran concentración de puntos mesurables.

Para determinar cuál es el punto más importante necesitamos la ayuda del paciente. ¡El punto que más doloroso le resulta es el más significativo!

No todos los puntos que son mensurables o dolorosos tienen por qué ser el punto buscado. Sólo nos interesará el punto que reacciona con más fuerza a los estímulos.

Semejantes decisiones (más o menos doloroso) hay que tomarlas en función de la reacción del paciente. Métodos de búsqueda de puntos basados en el RAC, así como las mediciones electrónicas no son adecuadas para semejantes mediciones comparativas.

Imagen 26 Búsqueda de puntos

El punto del canal vegetativo así seleccionado no es, por de pronto, seguro.
Podría convertirse en un punto de la línea de trabajo. Para examinar si éste es el caso, debemos trazar una línea imaginaria desde el punto 0, y examinar si en la intersección de esta línea con el antihélix encontramos un punto virulento de la columna vertebral.

Atención: esta línea sólo se convertirá en la línea de trabajo si encontramos otro punto virulento en el antihélix. De no ser así, puede deberse a que el punto que habíamos encontrado en el canal vegetativo no era realmente el más sensible a la presión. En este caso tendremos que comenzar el proceso de nuevo. No nos queda más remedio que seguir buscando en el canal vegetativo.

Imagen 27: Línea de trabajo
(en rojo)

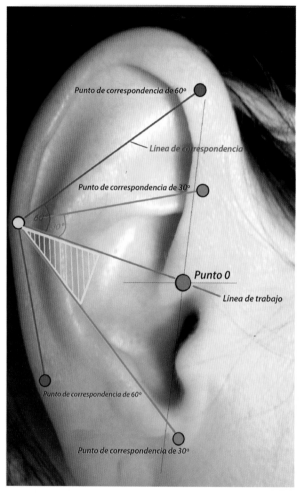

Punto de correspondencia de 60°

Línea de correspondencia

Punto de correspondencia de 30°

Punto 0

Línea de trabajo

Punto de correspondencia de 60°

Punto de correspondencia de 30°

Línea de trabajo

La línea de trabajo recorre toda la oreja, desde el punto 0 al ala del hélix. Todos los puntos virulentos de esta línea son reflejos de problemas orgánicos, que tienen una conexión causal con la enfermedad aguda. Este es el especial significado de esta "línea energética".

En cuanto hayamos encontrado esta línea de trabajo, ya podemos tratar todos los puntos que encontremos en la misma. Partimos de la base de que éstos son reflejo de una serie de problemas que tienen relación directa entre sí. Por eso el tratamiento (agujas) de esta línea actúa sobre el proceso patológico en toda su complejidad. Los puntos de mayor importancia son los del borde de la oreja (puntos de regulación nerviosa) y los del antemuro.

En su calidad de puntos de regulación son más significativos en el tratamiento de la patología que los propios puntos orgánicos. Por lo general, los puntos orgánicos únicamente son importantes cuando hay que aliviar o regular una dolencia aguda.

Por cierto: la primera aguja de la línea de trabajo siempre la colocaremos en la columna vertebral, o sea en el antihélix. Ello es necesario, para eliminar o evitar bloqueos en la columna.

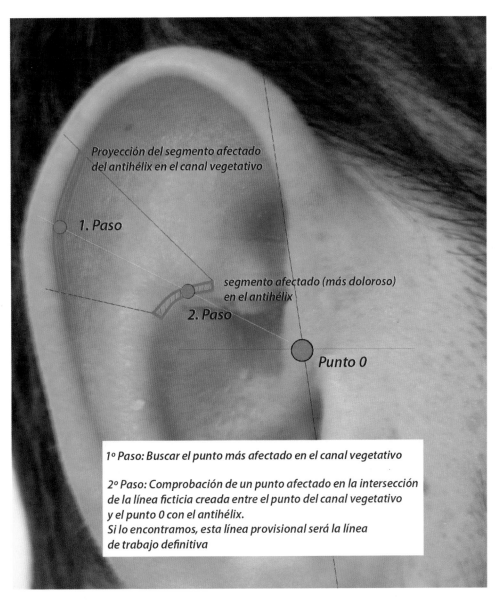

Proyección del segmento afectado del antihélix en el canal vegetativo

1. Paso

segmento afectado (más doloroso) en el antihélix

2. Paso

Punto 0

1° Paso: Buscar el punto más afectado en el canal vegetativo

2° Paso: Comprobación de un punto afectado en la intersección de la línea ficticia creada entre el punto del canal vegetativo y el punto 0 con el antihélix.
Si lo encontramos, esta línea provisional será la línea de trabajo definitiva

Imagen 28: Línea de trabajo

Paso 3: Regular tensión arterial

Con el estímulo ejercido sobre la línea de trabajo ha llegado cierto movimiento al cuerpo. Es el momento de regular reacciones excesivas, sobre todo de la tensión arterial.

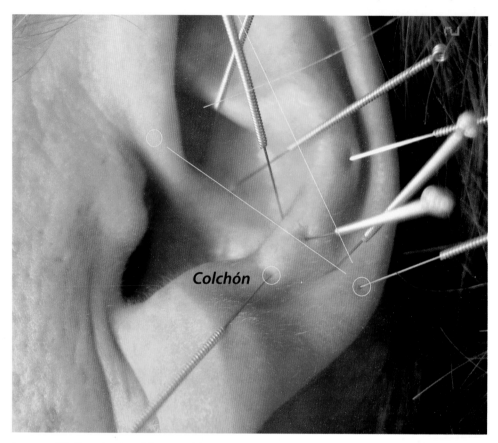

Colchón

Imagen 29: Regular tensión arterial.

Para ello nos serviremos del punto "Colchón". El tratamiento de este punto tiene un efecto relajante, a la vez que regula reacciones extremas. Este punto lo buscaremos una vez hemos tratado la línea de trabajo.

Aunque no deja de haber pacientes en los que el colchón no se muestra tras el tratamiento básico. En ese caso no hay que tratarlo. En semejantes casos conviene examinar si se trata de una persona inestable a nivel energético. Si es así, estabilizaremos la tensión tratando un punto del centro de la concha. Su nombre está sacado de la nomenclatura china y es Punto 100/Corazón. Aunque esta denominación no es exacta, ya que si bien es cierto que este punto sirve para estabilizar y fortalecer la tensión, su efecto no tiene nada o muy poco que ver con el corazón como órgano.

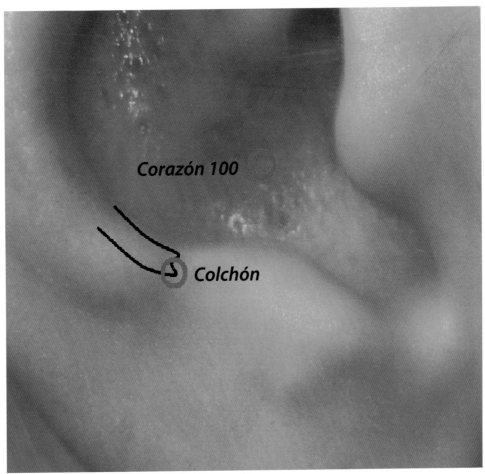

Imagen 30: Punto Corazón 100 (Chino)

Paso 4: Puntos de correspondencia

Como ya hemos explicado, la línea de trabajo define la "interacción básica" de una patología. Las informaciones complementarias las obtendremos de una serie de puntos adicionales, que se encuentran en la intersección de las líneas de correspondencia con el borde de la oreja. En un ángulo de 30 o 60 grados, partiendo del punto de la línea de trabajo en el ala del hélix, atraviesa la oreja una línea de correspondencia, que termina en algún otro punto del hélix.

En el punto de intersección de estas líneas con el borde de la oreja podemos encontrar puntos (puntos de correspondencia) que también tienen un nivel de relación causal con la patología. Éstos pueden ser incluidos en el tratamiento a modo complementario.

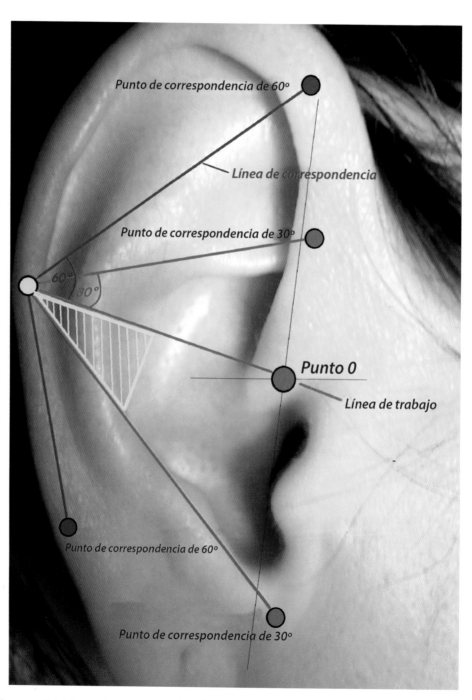

Imagen 31: Líneas de correspondencia

Atención: los puntos de correspondencia no tienen por qué aparecer obligatoriamente. Sólo aquellos que podamos encontrar serán incluidos en el tratamiento.

Paso 5: Tratamiento complementario de puntos orgánicos
Un síntoma, como por ejemplo un dolor de cabeza, no es sino la manifestación de una serie de sucesos orgánicos. Podría, por ejemplo, tener su origen en un desajuste en el metabolismo renal. Si se diera una interacción semejante, ésta se proyectará reflejada en la oreja. La línea de trabajo pasará realmente por el sector del riñón. Aunque el dolor de cabeza como fenómeno orgánico se reflejará en el lóbulo, al que no llegaremos siguiendo la línea de trabajo. Por eso en semejantes casos complementaremos el tratamiento de la línea de trabajo con una serie de puntos sintomáticos y organotrópicos, relacionados directamente con el dolor de cabeza. O sea, que tratamos adicionalmente el lugar donde se refleja el dolor de cabeza: el lóbulo.

Así es el principio:
Primeramente actúo sobre la cadena causal que conduce a una determinada sintomatología. En caso de que no consiga regular suficientemente el síntoma en cuestión, me dirigiré a nivel organotrópico a los puntos donde se refleja el problema agudo.
Para el diagnóstico integral de un caso debemos considerar todos los focos y puntos que se reflejan en ambas orejas. Con mucha frecuencia las líneas de trabajo de ambas orejas se encuentran en segmentos diferentes, haciendo patente la complejidad de una determinada dolencia. Cuando encontramos segmentos distintos en ambas orejas podemos partir de una mayor carga patológica. El problema es más crónico, que cuando la línea de trabajo de la oreja derecha es simétrica a la de la izquierda.

Paso 6: tratamiento complementario de las interacciones
Sabemos que las personas cambian en su ser más profundo bajo la influencia del dolor o las enfermedades, y que esto debe verse como parte constitutiva de la enfermedad. Todo ello puede potenciar un problema de salud, o incluso provocarlo. En la práctica terapéutica encontramos con frecuencia, ya en la línea de trabajo o en la de correspondencia, puntos que aparecen a consecuencia de semejantes correlaciones. Cuando éste no es el caso, y nos parece importante influir sobre la psique, complementaremos con estos puntos el tratamiento.

Conclusiones finales:
Por lo general, el tratamiento hay que realizarlo en el orden descrito. Aunque no es realmente imprescindible ejecutar todos y cada uno de los pasos, sí hay que seguir un orden, para finalizar cuando sea predecible el éxito de la sesión.
No hay ninguna limitación en lo que se refiere al número de agujas a utilizar. Por lo general podemos partir de esta base: cuantas más agujas utilicemos, más inespecífico será

el efecto del tratamiento. Es importante tener esto en cuenta cuando tratemos a alguien. Es de esperar que cada tratamiento modifique la situación patológica del paciente. Por eso es imprescindible realizar una nueva anamnesis con cada nueva sesión. Esto es fundamental para seguir trabajando con éxito. Ello se debe al hecho de que el organismo siempre cambia bajo el influjo energético de la auriculoterapia. Un estímulo que fue necesario en una sesión pasada, puede que ya no sea imprescindible. En caso de repetirlo mecánicamente puede que incluso ocasione una interferencia.

Habría que renunciar a un estímulo continuado sobre la oreja si no contamos con un control adecuado y no podemos por tanto reaccionar de inmediato ante una reacción orgánica excesiva.

3.4 Manera correcta de colocar las agujas

Uno de los puntos principales durante mi formación como auriculoterapeuta era que a la hora de colocar la aguja era necesario sujetar la oreja, colocando un dedo en la parte posterior del lugar en cuestión. Esta era la manera más rápida –así decía el profesor- de notar si habías atravesado la oreja. A los alumnos nos parecía un tanto ridículo, y hoy en día son otros los que no se lo toman muy en serio cuando yo insisto en este punto.

Pero el caso es que estas palabras describen de manera muy práctica las dificultades que los principiantes tienen cuando intentan colocar las agujas correctamente. No encuentran el punto, se resbalan con el canto del antihélix o en otras partes de la oreja, la aguja no está colocada con la suficiente profundidad y se cae.

La aguja hay que colocarla en un ángulo de 90 grados. Es importante introducirla en el punto exacto, que muchas veces tiene un espacio de mucho menos de un milímetro. No debe ser introducida con mayor profundidad de 1 a 2 mm en el tejido y en ningún caso deberá atravesar la oreja. Por ello es muy importante la precisión.

Puntos que hay que observar:
-El terapeuta debe estar tranquilo, sin estrés.
-Debe tener una posición adecuada, de forma que pueda buscar bien los puntos, y colocar las agujas, sin que esa postura le produzca problemas de espalda.
-La oreja debe estar bien iluminada, para que el terapeuta pueda ser preciso en su trabajo.
-El terapeuta nunca trabaja sin apoyar las manos. El brazo con el que trabaja debe estar

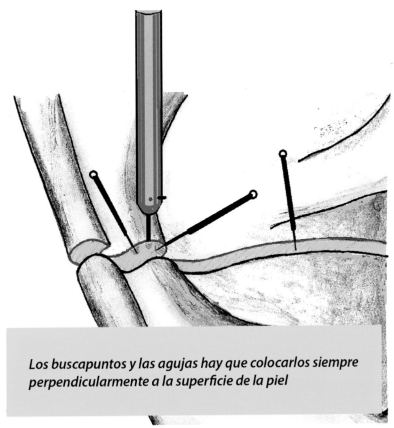

Los buscapuntos y las agujas hay que colocarlos siempre perpendicularmente a la superficie de la piel

Imagen 32: Forma correcta de colocar las agujas

Hay que colocar la aguja en el punto exacto, con un movimiento directo y controlado, sin titubeos, deslizándola perpendicularmente en la superficie del tejido.

A los pacientes más sensibles habría que despistarles un poco antes de colocar la aguja. Lo mejor es que respiren profundamente y que saquen el aire mientras colocamos la aguja.

Ahora es importante que el paciente se relaje. Por eso el terapeuta debería dejarlo tranquilo y no irritarle con preguntas que le pasan por la cabeza ahora que no tiene nada que hacer y se plantea ciertos detalles del caso. Aunque es bastante pertinente estar cerca del paciente, por si éste siente cambios de ánimo.

La fase de descanso se mantiene hasta que podamos sacar las agujas. En una primera sesión esto puede durar 30 minutos y más. Por regla general, una aguja permanece más tiempo cuando hay un vacío energético y menos tiempo cuando hay una estasis.

A veces ocurre que una aguja es rechazada por la oreja nada más colocarla. El tiempo de permanencia de las agujas en la oreja depende de la situación energética de los puntos tratados. El cuerpo acepta liberarse de las agujas

Forma correcta de colocar una aguja
Cuando estemos seguros de que la caída de una aguja no se debe a una falta de pericia o experiencia del terapeuta (en ese caso habría que colocar de nuevo las agujas), entonces no habría que repetir el proceso.

En las siguientes sesiones suele reducirse la duración. No es pertinente sacar las agujas a la fuerza, cuando el cuerpo no las suelta.
Además del innecesario dolor que con ello provocaremos, evitaremos así una hiperrreacción.
Al terminar el tratamiento hay que pedir al paciente que permanezca por breve espacio de tiempo sentado en la camilla, para que se regule su tensión arterial.

3.5 Impedimentos terapéuticos

Una de las peculiaridades de la auriculoterapia es que los éxitos terapéuticos muchas veces aparecen con rapidez y de modo que el terapeuta los puede controlar. Cuando éste no es el caso, un terapeuta inexperto será fácil que incurra en el desaliento. Pero no hay motivos para ello. Puede ocurrir que el éxito terapéutico aparezca horas, o incluso días después de la sesión. En semejantes casos, o bien la reacción de defensa del organismo es más fuerte que la acción energética de las agujas, o el terapeuta ha sometido al paciente a un estímulo demasiado fuerte. Una frecuencia excesiva en las sesiones, así como el uso descontrolado de agujas semipermanentes provocan no pocas veces bloqueos en el organismo, de modo que el éxito terapéutico se retrasa, e incluso a veces llega a impedirse.

En caso de que no llegue el efecto esperado y estemos seguros de habernos servido de la estrategia adecuada (queda descartada en este sentido la acupuntura a base de recetas, que no considera el carácter holístico de la auriculoterapia), podemos hablar de impedimentos terapéuticos, que pueden venir dados por intoxicaciones o focos infecciosos. Las causas más comunes son vacunas, problemas dentales, cicatrices y a veces incluso una comida demasiado pesada justo antes de la sesión.

En este sentido, las enseñanzas de los hermanos Huneke (Terapia neural) pueden sernos de utilidad:

-Toda enfermedad crónica puede estar producida por un campo de interferencia
-Cada punto del cuerpo puede convertirse en campo de interferencia.

Esto significa que cualquier cicatriz, cualquier fractura ósea soldada hace mucho tiempo, cualquier infección crónica (nos referimos a aquellos focos infecciosos que surgen en los dientes, las fosas nasales, las amígdalas, o los provocados por las vacunas), pueden convertirse en un campo de interferencia, generando irritaciones en el organismo. Los campos de interferencia provocan enfermedades, entre cuyas consecuencias están también los dolores.

Un ejemplo: una persona llevaba años padeciendo fuertes dolores de estómago que desaparecieron en el momento en que se mejoró la irrigación de las cicatrices que cortaban el flujo energético del Meridiano del Estómago. Las cicatrices que quedan tras una cesárea u otras operaciones ginecológicas pueden provocar una conducta sexual anómala (frigidez), en el momento en que la cicatriz de las mujeres afectadas se llena de adherencias.

Semejantes focos no sólo producen enfermedades, sino que muchas veces hacen inefectivos los esfuerzos terapéuticos. Los focos pueden, según como, imposibilitar que se produzca la anhelada curación. Primero hay que liberarse del foco en cuestión. En la práctica ello significa que por mucho que esté convencido de haber elegido el camino terapéutico adecuado, si no tengo éxito tendré forzosamente que averiguar por qué es así. A más tardar en ese momento deberé estudiar las consecuencias de los campos de interferencia, empezando por las cicatrices. Y en este sentido es importante saber que hay interferencias muy eficaces, que muchas veces ni siquiera percibimos.

Plantillas, que presionan masivamente las zonas reflexológicas del pie (sobre todo en la zona del pulmón o el intestino), provocando irritaciones y desajustes funcionales en estos órganos.

Pendientes: que provocan estímulos en el lóbulo, y que si por ejemplo se encuentran en el punto del ojo tendrán un efecto sobre este órgano, provocando posiblemente trastornos en la visión.

Pendientes en el borde de la oreja, que actúan sobre el sistema nervioso vegetativo, y pueden provocar tanto depresiones como agresiones. Ya estén en la oreja, en la nariz, la lengua o en cualquier otro lado del cuerpo —siempre se trata de estímulos y por tanto de campos de interferencia, que bajo determinadas circunstancias pueden provocar síntomas, cuyas causas por lo general no se reconocen.

Pircings en puntos centrales, como el ombligo (Vaso Concepción 8 para la MTC: centro energético corporal).

Los conflictos psicológicos que no son regulados correctamente por el organismo también provocan por supuesto bloqueos. En la antigua China se pensaba que los problemas personales y sociales no resueltos se manifiestan en la espalda. Todo ello provoca muchas veces tensiones y dolores, en la espalda, los hombros, las rodillas, etc. Nogier ya señaló que el bloqueo de la primera costilla aparece con frecuencia como foco de interferencia.

INSTRUMENTAL PARA LA PRÁCTICA DE LA AURICULOTERAPIA

4

Capitulo 4. Instrumental para la práctica de la Auriculoterapia

La efectividad de la auriculoterapia no sólo depende de la técnica con que tratamos al paciente. La pericia "artesana" del terapeuta tiene también gran importancia.

Primeramente hace falta práctica para encontrar los puntos relevantes de la oreja. Y esto no es tan fácil como cabría imaginar. Paciencia, una mano que no tiemble y una postura de trabajo adecuada son imprescindibles. No se debería trabajar en ningún caso de pie. Debemos permanecer sentados cuando colocamos las agujas, pero sin tensar la espalda mientras buscamos los puntos.

Otro extremo importante es la comunicación con el paciente. El terapeuta precisa la percepción del paciente en el momento en que quiere decidir qué puntos o segmentos dolorosos deberán ser incluidos en la sesión. La "mueca de dolor" de la que tanto se ha hablado no es suficiente, ya que únicamente nos señala que aquí hay un punto afectado. Si se trata o no del segmento determinante de la columna, o el punto más importante del tratamiento lo decidiremos comparando las percepciones del paciente a la hora de presionar el antihélix o de colocar el buscapuntos en el canal vegetativo.

Sobre todo los pacientes que tratamos por vez primera tienen miedo al dolor. De ahí que prácticamente no perciban el dolor que realmente sienten mientras palpamos con los dedos o apretamos con el buscapuntos cuando éste es mucho menor de lo que se habían imaginado. Por eso cuando les preguntemos expresamente si les duele contestarán que no, de modo que al terapeuta le faltarán las informaciones necesarias para proseguir con la terapia. En semejantes casos debemos cambiar nuestra manera de preguntar. Como es natural, cada persona percibe las cosas a su manera. Por eso es importante utilizar un lenguaje que entienda el paciente.

Para el éxito terapéutico es igualmente importante un instrumental adecuado, acompañado de un uso profesional del mismo. El paciente valorará después si el tratamiento fue llevado a cabo con profesionalidad y destreza. Éste lo percibe por la seguridad con que el terapeuta trabaja con el buscapuntos, si coloca las agujas con exactitud, en el lugar correcto y sin titubeos, con el ángulo adecuado y a la profundidad debida.

Un buen instrumental no tiene por qué ser caro. Lo que si es importante es que se ajuste a las exigencias del tipo de tratamiento que vamos a realizar. Los aparatos y agujas de la acupuntura corporal no suelen servir del mismo modo para la auriculoterapia.

¿De qué nos vale una aguja sofisticadísima que está hecha para penetrar en el tejido 1,2 o 4 cun chinos? Sobre todo si tenemos en cuenta que la profundidad con que debemos introducir la aguja en la oreja suele ser de 1 a 1,5 milímetros.
¿Por qué habría de estar la aguja recubierta cuando la aplicación es tan superficial?

¿De qué me vale un láser cuyo mango es tan grueso que no puedo ver el punto (aprox. 1mm de diámetro) de la concha y que me impide tratarlo con exactitud?
Los criterios para un buen instrumental los determina la realidad topográfica de la oreja. Los puntos muchas veces tienen difícil acceso debido a sus estructuras. Muchas veces no los vemos de manera inmediata. El punto agudo tiene un diámetro aproximado de 1 milímetro y si los instrumentos no son los adecuados será especialmente difícil de acceder a él y tratarlo en las profundidades de la concha, bajo el ala del hélix o en la cara posterior de la oreja.

Lo más importante es que el terapeuta siempre vea con exactitud los puntos a tratar. Este es un hecho ante el que se tiene forzosamente que doblegar la fabricación de instrumentos, buscapuntos, agujas y demás material.

4.1 Agujas de Auriculoterapia

4.1.1 Agujas ideales para la Auriculoterapia

Ya en la manera de colocar agujas en los puntos de la oreja se manifiestan las diferencias metódicas en la aplicación de esta terapia. La escuela vienesa, por ejemplo, recomienda poner las agujas a nivel subcutáneo, para evitar daños en el cartílago. También conocemos esta práctica de China; de ahí que no nos extrañe que se empleen para tal fin agujas bien diferentes a las que nosotros usamos. La típica aguja china de auriculoterapia (ver Pág. 112) está concebida para permanecer más tiempo en la oreja. Normalmente suele ser colocada subcutáneamente en una determinada área.

El problema es que no se trata los puntos con la necesaria exactitud. Ello conduce a una merma del éxito terapéutico. Y es que la auriculoterapia sólo será efectiva en la medida en que consigamos definir los puntos importantes y colocar en ellos las agujas con total precisión.

Por este motivo, al menos nuestra escuela, ha tomado por costumbre, colocar las agujas en el tejido en un ángulo de 90 grados.

Nosotros tenemos una idea muy concreta de cómo debe ser una aguja de auriculoterapia, que dista de la ideal en acupuntura corporal.

Los criterios principales son:

Longitud suficiente:
Precisamos una cierta longitud total de la aguja, para poder llegar con exactitud a los puntos, sobre todo a los ocultos. Así evitaremos que nos tapen la vista nuestros propios dedos.

Rigidez
La aguja debe ser robusta y rígida, para sobreponernos a los puntos cuya estructura nos ofrece fuerte resistencia.

Un potencial energético óptimo
Además del material (oro, plata, acero, molibdeno, etc.) del que se hace la aguja, también juega un importante papel su diámetro. El potencial energético necesario para el tratamiento no sólo varía en función del material, sino también por la masa de la aguja.

Composición de la aguja
Como la aguja se introduce solo superficialmente, su cuerpo puede ser bastante corto. Sin embargo, la longitud del manguito tiene gran importancia, ya que a la hora de

poner la aguja no debemos perder en ningún momento de vista el punto. Una aguja demasiado corta nos puede impedir una visión adecuada. El cuerpo de la aguja debe además contar con un determinado grosor, ya que una aguja gruesa destruye más células al penetrar en la oreja. La energía liberada de las células provoca un estímulo energético en el organismo. Este efecto se ve ampliado si la punta de la aguja es corta, al contrario de lo que ocurre con la acupuntura corporal, que cuenta con agujas largas y finas.

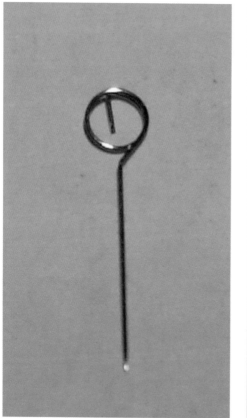 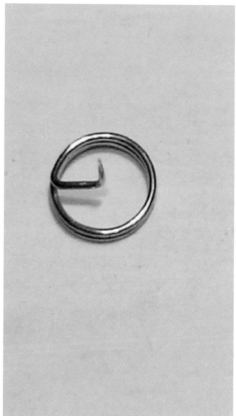

Imágenes 33 y 34: Agujas chinas de auriculoterapia

Por eso una aguja de auriculoterapia debería contar con ciertas medidas estándar. Debería tener un cuerpo corto (de 10 a 15 mm) y un mango largo (de 30 a 40 mm) NOACK. La longitud total (mango y cuerpo) debería ser de 50 mm. Para lograr una rigidez suficiente debería, o bien estar endurecida (ello permite un grosor de alrededor de 20mm) o contar con un grosor mínimo (0,26 a 0,30mm). Por lo general, el formato más adecuado es de 0,30 x 10 mm (cuerpo de la aguja). No es necesario recurrir a diámetros mayores.

Abogamos por el diámetro de 0,30 mm, ya que siendo soportable para el paciente, garantiza la necesaria rigidez. Estas agujas sencillas no han sido endurecidas. Las más finas son demasiado blandas y no son suficientemente firmes. Las agujas endurecidas pueden, por esta razón, ser más finas. Éstas son imprescindibles para el tratamiento de pacientes especialmente sensibles, aunque son bastante más caras.

De ahí que una aguja china pulida a mano sea para nosotros de mayor utilidad que esas fantásticas agujas made in germany, hijas de la tecnología espacial, que se introducen en el tejido sin resistencia alguna.

Para el tratamiento de niños y en general de personas delicadas hace falta, como ya hemos mencionado, agujas rígidas más finas. Para estos fines han demostrado su validez las agujas cosméticas de 0,20 x 15 mm (mango de plástico azul). Estas agujas están suficientemente endurecidas y muestran la suficiente rigidez. Aunque por lo general, el mango de plástico no es ideal para las agujas de acupuntura, pues aísla al terapeuta del paciente.

Todo aquel que practique la acupuntura conoce esta transferencia energética entre el paciente y el terapeuta y la considera como un factor positivo en la sesión. Se siente que algo está ocurriendo, que se está moviendo.

Aunque a veces tenemos que protegernos, pues nosotros mismos nos encontramos en una situación energética débil. En semejantes situaciones sí sería recomendable utilizar agujas con mango de plástico.

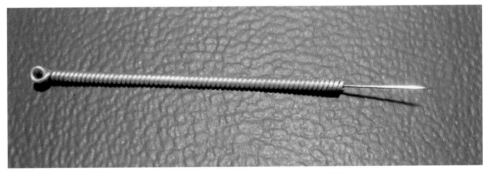

Imagen 35: Aguja de auriculoterapia

En todos los demás casos, la aguja debería ser toda ella de metal. Los diferentes metales con los que se hacen las agujas pueden tener una importancia adicional, cuando se quiere utilizar sus diferentes potenciales energéticos. Sabemos que los metales con diferente potencial energético también producen efectos diferentes. Por eso hay, además de las de acero, agujas de plata, oro, platino y molibdeno.

A la hora de usar agujas de metales distintos del acero hay que observar que en la cara anterior de la oreja éstas tienen efectos contrarios a los de la acupuntura corporal. Aquí el oro seda, mientras que la plata tonifica. Esto sólo es válido para la cara anterior. En la cara posterior de la oreja y en el punto 0 se mantiene las reglas clásicas de la acupuntura corporal.

Las agujas de oro tienen un potencial energético de +0,285 en la escala de hidrógeno y tienen un efecto tonificante en la acupuntura corporal. En la oreja, sin embargo, se utilizan para sedar en caso de exceso energético (estasis, dolor, inflamaciones agudas, etc. O sea en todos los estados yang).

El potencial energético del *platino* es superior al del oro. Aunque en la práctica apenas se nota. El efecto sedante no es diferente al de la aguja de oro.

Las agujas de molibdeno se encuentran, en su potencial energético, entre el oro y el acero. Tienen un ligero efecto sedante y su uso está especialmente indicado en caso de estados reumáticos e inflamatorios.

La plata tiene un potencial energético relativamente bajo, de +0,048 y en la oreja tiene un efecto tonificante.

Usaremos agujas de plata en estados de vacío, así como cuando se trate de enfermedades crónicas.

Quien quiera servirse de los diferentes potenciales energéticos en el tratamiento, debería estar seguro de que el efecto del metal usado sea el adecuado para la dolencia en cuestión. Sería un grave error, por ejemplo, sedar allí donde hay un vacío energético o tonificar donde hay un exceso energético. En caso de que el terapeuta no tenga esta seguridad debería utilizar siempre agujas de acero, ya que este metal tiene un efecto energético neutro. De este modo el cuerpo regulará el estímulo, bajo todas las circunstancias, de manera positiva.

Desde mi punto de vista, el uso de diferentes metales no es tan importante como cabría pensar. La auriculoterapia es una terapia de regulación, en la que lo realmente importante es provocar un estímulo. Podemos partir de la base de que el organismo se encargará de regular adecuadamente este estímulo. De ahí que determinar previamente cual deberá ser la "dirección" de estos estímulos, aquí tonificando, allá sedando, etc. sea innecesario- Y muchas veces, cuando se tomó la "dirección errónea" puede ser incluso peligroso.

De ahí que muchos auriculoterapeutas utilicen exclusivamente agujas de acero.

Dado el peligro de transmisión de enfermedades por agujas contaminadas se recomienda el uso exclusivo de agujas desechables. Éstas están empaquetadas de manera estéril, sólo son usadas una vez, y desechadas tras su uso. Las hay en todos los tamaños, de acero, oro o plata. Aunque las agujas reutilizables son una alternativa para algunos terapeutas.

Lo fundamental en este caso es que las agujas reutilizables deberán ser tanto desinfectadas como esterilizadas. Primero hay que limpiarlas, luego desinfectarlas, para concluir con la esterilización. Para tal fin se recurrirá a los medios habituales de la esterilización de instrumental médico. Para esterilizar las agujas es suficiente con un esterilizador de aire caliente (duración de la esterilización: unos 90 minutos a 180° C).

4.1.2 Agujas semipermanentes

Una categoría especial de agujas son las **agujas semipermanentes,** que, como su propio nombre indica, permanecen en la oreja por mayor espacio de tiempo. Éstas se colocan en casos donde es deseable y necesario un estímulo duradero. Por ejemplo ante dolores agudos o en la acupuntura contra las adicciones. Dado que el organismo no las puede expulsar como hace con las agujas normales, hay que llevar a cabo un control continuo de las agujas y su efecto, para evitar un empeoramiento temporal del estado del paciente.
La experiencia muestra que el organismo expulsa la aguja en el momento en que ya no necesita el estímulo. La aguja ha llevado al cuerpo a regular su estado en la medida necesaria. Si no lo liberamos de este potencial de estimulación de las agujas lo más probable es que este estímulo provoque nuevamente el problema. De ahí que no se coloquen agujas semipermanentes en regiones de la oreja donde podrían estimularse mecanismos de regulación y mando del cuerpo (cerebro, sistema endocrino, sistema nervioso central, etc), para evitar reacciones incontrolables.
Hay muchos tipos de agujas semipermanentes, aunque suelen ser relativamente pequeñas. Con el tiempo se han impuesto los sistemas más complejos, con "aguja más inyector". Como en la aplicación semipermanente cobra aún más importancia la localización exacta de los puntos, sólo son adecuados los sistemas que permitan al terapeuta colocar la aguja con total precisión.

Es imprescindible poder comprobar si la aguja semipermanente está colocada en el punto que buscábamos.

En la práctica ha demostrado su especial validez el sistema ASP. Ahora también hay agujas semipermanentes en oro, o sea con recubrimiento en oro, y también en titanio. Queda la duda de si una acción sedante del oro tendrá un efecto más positivo sobre la salud que la regulación neutra de acero.

4.1.3 Mijo y otras semillas

Las posibilidades de la manipulación no se limitan al uso de agujas. La manera más sencilla de producir un estímulo semipermanente es la manipulación de un punto con semillitas de mijo, que son colocadas con un esparadrapo en el punto de la oreja.

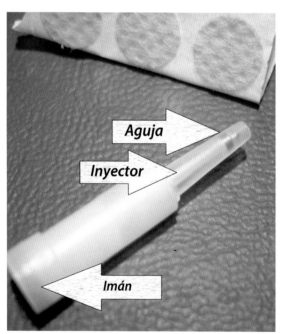

Una semilla de mijo produce un estímulo sorprendentemente fuerte. Este sencillo método se usa con especial éxito en el tratamiento de niños. Además, esta técnica permite un estímulo adicional en situaciones especiales. Para ello no hay más que presionar la semilla. Hoy en día también se utilizan pequeñas bolitas de acero.

Imagen 36: Aguja semipermanente con inyector

Imagen 37: Esparadrapo con bolita

El efecto es el mismo. Para aumentar la efectividad de estas bolitas de acero son adicionalmente magnetizadas. Muchos piensan que aumentando el potencial energético llegarán más lejos. A mi modo de ver esto es falso. Nunca se trata de producir el estímulo energético más grande posible, sino facilitar al organismo un estímulo que pueda asimilar. Y es que el cuerpo siempre se defenderá de estímulos excesivos, bloqueando el flujo energético. Aunque tampoco es conveniente un estímulo menos fuerte pero que permanezca más tiempo del necesario (el cuerpo es el que determina la duración adecuada del estímulo). Y es que en ese caso oprimiremos la capacidad autorreguladora del organismo.

4.2 Buscapuntos

4.2.1 Buscapuntos mecánicos

Los puntos de la oreja que señalen una patología orgánica son muchas veces perceptibles a simple vista. Un granito rojo, una porosidad excesiva que conforma una oquedad, una mancha, etc. delatan un cambio y nos llevan a pensar en un problema en el órgano efector mostrado por el punto en cuestión.

Aunque el diagnóstico visual no nos muestra más que una parte mínima de las interacciones patológicas.

De lo que sí que nos podemos servir sin duda alguna es del hecho de que los puntos afectados destacan por su mayor susceptibilidad al dolor.

Pero esta sensibilidad sólo queda patente si palpamos el punto con ligera presión.

La cualidad del dolor informa al terapeuta de la virulencia del problema orgánico, manifestado en la oreja.

Este hecho es, por cierto, determinante para demostrar que para un examen semejante basta con el instrumental más sencillo.

De hecho, en principio bastaría con una simple aguja gruesa de punto.

Siguiendo este simple principio hemos desarrollado un buscapuntos muy sencillo, con el que tanto se puede buscar los puntos como hacer un masaje.

Su peculiaridad es que es pequeño, sin que ello vaya en detrimento de su carácter práctico. Su tamaño permite llevarlo en el monedero o en el bolsillo.

También nos son conocidos los buscapuntos de cristal y de otros tipos, como las barritas usadas para recorrer los meridianos en la acupuntura de Penzel.

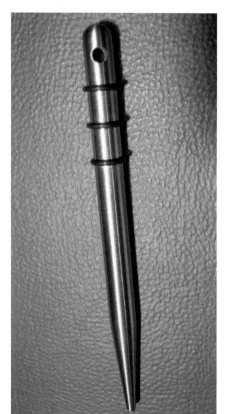

Otra posibilidad son los palpadores de presión. Se trata de aparatitos mecánicos, compuestos por un mango y una sonda movible (punta), que gracias a un muelle siempre generan la misma presión (de 120 a 150 gramos). La sonda movible tiene como cometido objetivizar los momentos subjetivos de la presión. Tanto este palpador como el que tiene forma de estribo son realmente prescindibles.

Éste último se ofrece como ayuda para el examen del antihélix y la cruz del hélix.

Pero lo cierto es que las diferentes secciones del antihélix o la raíz del hélix se perciben mejor pasando la uña.

Imagen 38: Buscapuntos

4.2.2 Buscapuntos electrónicos

Otra cualidad del punto afectado es su menor resistencia cutánea (diferencia potencial con respecto a su entorno). Para esta posibilidad de la búsqueda del punto se utilizan aparatos electrónicos que perciben los cambios de la resistencia cutánea.

Los buscapuntos electrónicos más sencillos tienen por lo general dos componentes: una batería y la sonda para buscar el punto. Los hay con forma de lápiz, con una batería en el mango, y una sonda en la parte delantera, que a su vez puede ser firme o movible. Cuando se usan estos aparatos el terapeuta tiene que tocar al paciente mientras busca los puntos. De este modo conforma con él un circuito energético, algo imprescindible para medir la resistencia cutánea. El aparato (como fuente eléctrica), el paciente y el terapeuta conforman un circuito energético cerrado. El terapeuta toma el buscapuntos en una mano (por ejemplo, la derecha) y la oreja en la otra (la izquierda) de forma que pueda medir la resistencia del punto. Otros aparatos aseguran el circuito mediante diodos, que el paciente mantiene sujetos con la mano durante el examen.

La energía que fluye por el circuito es tan débil que no molesta en modo alguno. La sensibilidad del aparato es ajustada primero en zonas de la piel no afectadas.

Así se controla la resistencia normal de la piel, y el aparato queda ajustado de modo que la electricidad de la batería se reduzca de tal modo que cuando un punto no es virulento sencillamente no fluye energía alguna. Aquí la piel actúa como un interruptor. Cuando la resistencia cutánea es baja (punto afectado) se da luz verde a una transferencia energética: la electricidad puede fluir. Una lamparita se ilumina, y a veces también suena un pitido. En principio, todos los aparatos funcionan así. Aunque no todos son igual de manejables.

Los buscapuntos más antiguos suelen estar compuestos de una carcasa en la que se encuentra la fuente eléctrica, que puede ser ajustada, y un lápiz al que llega la corriente por un cable. A ello se suma un electrodo neutro, que el paciente debe sujetar con la mano. Aquí el terapeuta no tiene que estar en contacto con el paciente.

Los buscapuntos electrónicos modernos no necesitan una regulación manual previa. Se regulan de modo automático o podemos evitar programarlos para que no den tantas informaciones.

A mi modo de ver es suficiente con los aparatos sencillos, los que tienen una adaptación manual de la resistencia cutánea –por ejemplo el pequeño buscapuntos de AkkuOkkult- o aquellos con adaptación automática, como el de Svesa, dotado con una señal óptica y una punta fija.

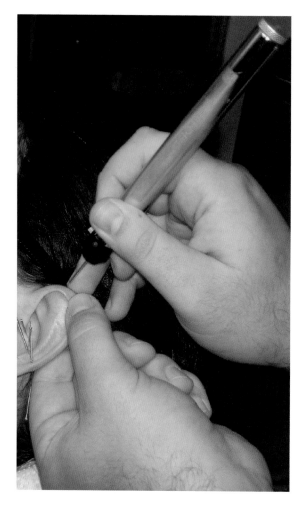

Imagen 39:
Buscapuntos electrónico con regulación manual.

Hay aparatos de mayor calidad, que además de valorar el punto están en condiciones de determinar su situación energética, dándonos informaciones precisas del tipo de metal que debemos usar en la acupuntura. En lugar de una sonda de medición, como es habitual en los buscapuntos comunes, estos aparatos están dotados de un electrodo circular y otro adicional, que miden simultáneamente, y por separado, la resistencia cutánea del punto y de la piel que lo rodea.

El aparato está en condiciones de medir la diferencia entre el entorno "normal" y el punto afectado, señalando a su vez si el tratamiento precisa de agujas de oro o de plata. El problema de estos sistemas es que los puntos de la oreja son muy pequeños y, lo que es peor, están muy pegados unos a otros. Por eso corremos el riesgo de que un aparato semejante únicamente mida la situación energética de los puntos afectados entorno al punto encontrado, y no la del punto que nos interesa.

De este modo nos encontramos con una situación en la que únicamente se puede controlar el estado energético de unos puntos en relación con los otros.

Por supuesto que el resultado de una medición semejante no sirve a la hora de decidir la calidad energética con la que debemos trabajar. Además, no está exento de peligros. Como la decisión siempre será oro o plata, un error en el examen lleva sus riesgos.

Si por ejemplo sedamos, por error, en una situación de vacío energético ello puede provocar el colapso del paciente.

Por eso nunca deberíamos basarnos en semejantes aparatos a la hora de decidirnos por una aguja de oro o de plata. En este proceso no debemos olvidarnos del sentido común.

En general no deberíamos concluir que un punto es importante en el tratamiento sólo porque el aparato da una señal.

Imagen 40: Láser para Auriculoterapia

Dado que la estrategia de la auriculoterapia, únicamente exige que tomemos la decisión de si el punto que hemos encontrado es el que presenta una mayor reacción, precisamos de un criterio adicional.

Y éste no es otro que la sensibilidad al dolor de un determinado punto.

Cuanto más doloroso resulte un punto, mayor será su importancia en el marco de una patología reflejada en la oreja. En la práctica terapéutica esto significa que el paciente siempre debe ser implicado en la búsqueda de puntos.

Su sensibilidad personal al dolor al presionar el punto es de extrema importancia a la hora de determinar si es un punto afectado. Un punto de la oreja ante el que sólo reacciona la electrónica de un aparato, mientras que el paciente no siente absolutamente nada, no podrá ser considerado un punto relevante.

En cambio, si la electrónica no reacciona, pero sí lo hace el paciente, sin duda se tratará de un punto con el que me debo confrontar.

Para terminar quisiera puntualizar algo: es muy importante que un buscapuntos –ya sea mecánico o electrónico- siempre sea colocado perpendicularmente a la oreja, o sea en un ángulo de 90 grados con respecto al área de la piel. Un punto siempre se "forma" perpendicularmente en la oreja, y su potencial sólo puede, por tanto, ser medido en este ángulo. De lo contrario corremos el peligro de que incluyamos en la medición el flujo energético de los puntos limítrofes.

4.3 Instrumental terapéutico

A pesar de que el uso de agujas es la forma natural de aplicación de esta terapia, hay (con mayor o menor justificación) otras técnicas terapéuticas basadas en las más diversas formas de la transferencia energética.

Los procedimientos más frecuentes son la electroacupuntura, la acupuntura láser y la cromoterapia.

4.3.1 Aparatos para la electroacupuntura

Un aparato muy recomendable es el "akutron 202".

Hay otros más complejos como el "Multitest 4D" (Reimers & Janssen).

Semejantes aparatos sólo pueden usarse hasta cierto punto en auriculoterapia, ya que los estímulos no son muy diferenciados, y el terapeuta siempre tiene que cuantificarlos.

Hace falta mucha experiencia para que este medio no perjudique al organismo y ayude al paciente. Yo no creo en la efectividad de un tratamiento basado en los impulsos eléctricos.

Como mucho podremos influir positivamente a nivel sintomático, al actuar sobre determinados puntos o zonas afectados.

4.3.2 Aparatos de acupuntura láser

Con el láser proporcionamos al organismo un haz de luz coherente y altamente orde-nada. La radiación activa así el potencial energético celular y coloca a las células en el nivel de ordenación natural.

Los aparatos láser se dividen, en función del medio que produce el láser, en: láser de gas, láser líquido y láser sólido. Los láseres de gas y los líquidos precisan más espacio que el sólido.

Un láser sólido funciona con un diodo, que apenas es más grande que un dedal. Así se hacen posibles modelos como el Handylaser trion3 de la firma Reimers & Janssen, que ofrecen múltiples funciones y puede trabajar en un espacio reducidísimo.

Quisiera remarcar que un láser es un instrumento ideal para el tratamiento de la oreja. Es, tras la aguja, la mejor opción. En algunos casos no hay de hecho un camino mejor. Sobre todo ante pacientes que tienen mucho miedo a las agujas, así como cuando encontramos patologías marcadas por una enorme sensibilidad al dolor (poliartritis, alcoholismo). Los pacientes con semejantes dolencias tienen estasis energéticos, nada fluye. No se les debe someter a estímulos energéticos demasiado fuertes, ya que por lo general no haremos sino provocar un empeoramiento.

Un láser para auriculoterapia debe ser ergonómico y tiene que estar expresamente diseñado para trabajar en la oreja. El punto a tratar, por ejemplo, debe permanecer visible hasta la aplicación del aparato, de modo que podamos realmente alcanzarlo. Esto es muchas veces difícil, ya que los puntos de la oreja sólo tienen un milímetro de diámetro y muchas veces se encuentran en áreas difíciles de alcanzar debido a la estructura del pabellón (parte posterior de la oreja, ocultos en la concha, bajo el hélix, situados detrás del trago, etc.). Por todo ello precisamos un aparato que permita una aplicación puntual y precisa.

En el caso de la oreja no se hacen necesarias potencias de salida, como las habituales en acupuntura corporal. Como no es mucha la profundidad a la que debe penetrar el láser en la oreja podemos esperar un efecto energético suficiente aunque éste no tenga mucha potencia. Cuando haya que aumentar el estímulo, podemos hacerlo re-gulando la duración de la aplicación. Sobre todo en la oreja debemos tener claro que "mucho no ayuda mucho".

Sabemos de otras disciplinas de la medicina natural (homeopatía) que son precisamen-te los estímulos más sutiles los que, aplicados correctamente, logran el mayor efecto. Por regla general, nuestro láser deberá tener una potencia inicial de 10 mW4. Con esta potencia trabajaremos en la oreja de 20 a 30 segundos por punto. Aunque también sería conveniente poder regularlo manualmente, de 2 mW a unos 20 mW, ya que en algunos casos de acupuntura contra las adicciones y frecuentemente cuando tratamos a niños conseguimos mucho más con estímulos tenues de por ejemplo 2 mW que aplicando una potencia mayor. No tardaremos en hacer la experiencia de que el organismo –sobre todo en el caso de personas adultas que sufren adicciones- se bloquea cuando trabajamos con demasiada energía.

En algunos láser tenemos adicionalmente la función de modificación del haz de láser, de -20% o +20% de la potencia inicial. La reducción de -20% tiene un efecto similar a las de las agujas de oro en la oreja, o sea, sedante. La intensificación del haz de láser en +20% actúa como una aguja de plata en la oreja, y por tanto con un efecto tonificante.

4.4 Propuesta para la dotación básica

Una peculiaridad de la auriculoterapia es la sencillez del equipamiento básico.

Un buscapuntos mecánico, unas cuantas agujas y un espacio calmo para el paciente son suficientes para llevar a cabo una sesión muy efectiva. Aunque para la práctica diaria puede que este equipamiento no sea suficientemente convincente. Necesitamos un equipamiento más completo.

Camilla

Para el tratamiento necesitamos una camilla con cabezal ajustable. El que pueda debería conseguirse una vieja silla de dentista. Ésta es ideal para la auriculoterapia. Dado que sobre todo en el primer tratamiento debemos contar con que las agujas permanecerán bastante tiempo en la oreja, puede ser ventajoso contar con una camilla adicional.

Buscapuntos

La decisión de qué buscapuntos elegir es muy personal. Los puristas suelen preferir un artilugio muy simple, como los amalgamadores de los dentistas, o el que vemos en la imagen de la Pág. 99 En cualquier caso, la punta no debería tener más de 1 o 2 milímetros de diámetro.

Como un punto reaccionará con tanta más sensibilidad cuanto más fina sea la punta del buscapuntos, la punta de éste nunca debería tener un diámetro inferior a 1 milímetro.

Un buscapuntos electrónico facilita la búsqueda del punto. Aquí contamos con aparatos muy sencillos, que cumplen sobradamente esta misión. Por ejemplo el Akutron, desarrollado inicialmente por G. Lange, que es realmente irrompible,

pero que debe ser ajustado a mano. Si queremos algo más sofisticado tenemos el buscapuntos electrónico de la firma Sveso, que cuenta con una adaptación cutánea automática y es realmente bueno. Aunque es importante lijar ligeramente la punta de este aparato ya que de fábrica es demasiado fina y cortante. Hay otros aparatos aún más sofisticados, pero no son realmente imprescindibles.

Agujas

Un principiante debería empezar con agujas desechables de acero. El oro, la plata y los demás metales sólo debería usarlos cuando tenga suficiente experiencia con la auriculoterapia. Las agujas de acero son las más adecuadas, ya que este metal tiene un efecto energético neutro, y el cuerpo hace siempre una traducción positiva del estímulo. Las agujas desechables son estériles y fáciles de usar. La aguja debería tener un formato de 0,25 a 0,30 (diámetro de la aguja)x 10 o 15 mm (longitud de la punta). También es importante que el mango sea lo suficientemente largo. Quien trabaje con la oreja entenderá de qué estoy hablando. Cuando los dedos están demasiado cerca de la oreja dejamos de ver el punto a tratar. En cuanto a las agujas semipermanentes recomiendo las de ASP, con inyector e imán.

Otros sistemas puede que sean igual de efectivos con la suficiente práctica. Las agujas semipermanentes chinas, que son aplicadas como tachuelas minúsculas en la oreja, o aquellas diminutas que son colocadas a nivel subcutáneo, requieren una destreza fuera de lo común.

Quién opte por las agujas reutilizables, deberá tener mucho esmero en la desinfección y esterilización. Para la esterilización basta con un esterilizador de aire caliente con interruptor horario y medidor de temperatura.

Láser

Un terapeuta que practica con seriedad la auriculoterapia necesitará una alternativa a las agujas. Yo personalmente no conozco una mejor que el láser. Un láser no debería faltar de la dotación básica de un auriculoterapeuta que se precie.

Para mí el Handylaser trion (655 nm/10 mW o 785 nm/20 mW) de la firma Reimers & Janssen es el aparato ideal. Con él es posible medir los puntos y tratarlos. Esto resulta muy fácil, ya que tiene almacenadas tanto las frecuencias de Nogier como las de Bahr, y resulta muy simple su aplicación. Quien quiera utilizar también el láser para la acupuntura corporal o para el tratamiento de heridas, puede pedir el Handylaser trion, con potencias iniciales de 10 mW y 50 mW.

¿Qué más hace falta?
- Lanzetas para las "minisangrías"
- Una o dos pincetas
- Recolectores de agujas.
- Gasas (o toallitas de alcohol)
- Desinfectante, para el instrumental y la piel.
- Un buen mapa de auriculoterapia, que colocaremos de manera que siempre esté al alcance de nuestra vista mientras trabajamos.
- Semillas de mijo o bolitas de acero para auriculoterapia.
- El coste general de una dotación básica semejante, incluyendo el esterilizador, un buscapuntos electrónico de categoría media, un láser y agujas ronda actualmente entre 2.500 y 4000 euros o dólares. Esto es lo mínimo y no se puede decir que sea mucho dinero, si pensamos todo lo que podemos conseguir con ello.

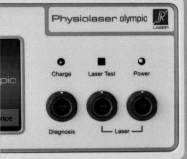
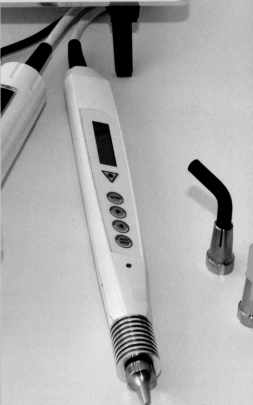

OTRAS FORMAS DE TERAPIA SOBRE LA OREJA

Capítulo 5. Otras formas de terapia sobre la oreja

5.1 Masaje de la oreja

Cuando era un muchacho, y por tanto bastante más ingenuo en las lides de la vida de lo que soy hoy, estaba convencido de que Karla, aquel amor platónico, con aquellas orejitas fabulosas, era gracias precisamente a esas orejitas la pura reencarnación de la belleza. Aquellas orejitas, tan hermosas y minúsculas: ¡Cuánto me habría gustado en aquel entonces acariciárselas! ¡Cómo habría sido mi reacción entonces si alguien me hubiera intentado explicar que, si lo que yo quería era un enlace duradero, debería buscar mejor el contacto con mujeres que tuvieran pabellones auditivos más imponentes! Pues ello indicaría una salud más recia y más energía vital.

¡Aquella rubia bajita, cuyas grandes orejas sobresalían tanto de su cabello rizado, habría sido, por tanto, un mejor partido para mí? Hace ya mucho de aquello, y mis conocimientos llegan demasiado tarde, por lo menos en lo que respecta a aquella muchacha. Además, el tiempo lo cura todo.

A una paciente le debió resultar demasiado simple mi consejo de quitarse los pendientes de oro para evitar el dolor de cabeza. Pero me hizo caso y hasta la fecha sólo tiene dolores de cabeza cuando se pone los pendientes para ir al teatro o cualquier otro acto importante.

Y quién puede creerse que con frecuencia las depresiones y agresiones se deben únicamente al hecho de tener el canal vegetativo lleno de pendientes. El oro seda en este caso (¿depresiones?), mientras la plata tonifica (¿agresiones?) "¡Quítense los pendientes de las orejas, y recuperen la paz!"

Para la Medicina Tradicional China la oreja es el reflejo de los riñones, y el pabellón auditivo externo está considerado como la apertura de los riñones. Del riñón llega –según la misma fuente- la energía vital. Los chinos también ordenan las diferentes áreas de la oreja en base a distintos sistemas orgánicos. El lóbulo se corresponde con los riñones, la parte central del pabellón con el bazo, la superior con el corazón, el trago con el pulmón, el hélix con el hígado, etc.

Además, en el Nei Ying, el clásico de la acupuntura china, encontramos que en la oreja se encuentran todos los meridianos, y que la oreja estaría enlazada con todos los órganos. Cualquier intervención sobre la oreja tendrá una influencia en el flujo energético corporal, por mucho que no sean los efectos controlados de la auriculoterapia.

Por eso podemos partir de la base de que un masaje del conjunto de la oreja será muy efectivo. Por supuesto que no tendrá un efecto tan específico y radical como el de una sesión de acupuntura, aunque desatará un movimiento energético, así como una relajación muy profunda de todo el organismo. Todas las tensiones corporales o mentales pueden de este modo regularse de manera suave.

¿Cómo se hace un masaje de la oreja?

El paciente deberá permanecer cómodamente sentado. El terapeuta se colocará detrás de él. La cabeza del paciente estará apoyada sobre el pecho del terapeuta. Comenzamos con el masaje del trago. Masajeamos el trago presionando ligeramente con el índice y el pulgar –el índice encima y el pulgar debajo del trago, casi en el agujero- de arriba abajo en dirección al lóbulo.

Siempre masajearemos con pequeños movimientos circulares. En la concha –aquí la oreja está pegada a la cabeza, por lo que no podemos trabajar en la parte posterior- sólo masajearemos con la punta del índice. Por lo demás el pulgar debe estar detrás o debajo de la oreja. Así ofrece resistencia a la presión ejercida por el índice desde arriba. Es importante que nuestras uñas sean cortas.

El terapeuta trabaja de manera rítmica, sin pausas y con cierta tensión. La fuerza debería venir del centro corporal. El masaje tiene lugar en secuencias. Cada secuencia está dedicada a una parte de la oreja, de modo que al final todas las zonas importantes del oído externo son masajeadas y el organismo es inervado en su totalidad. Cada secuencia es repetida tres veces.

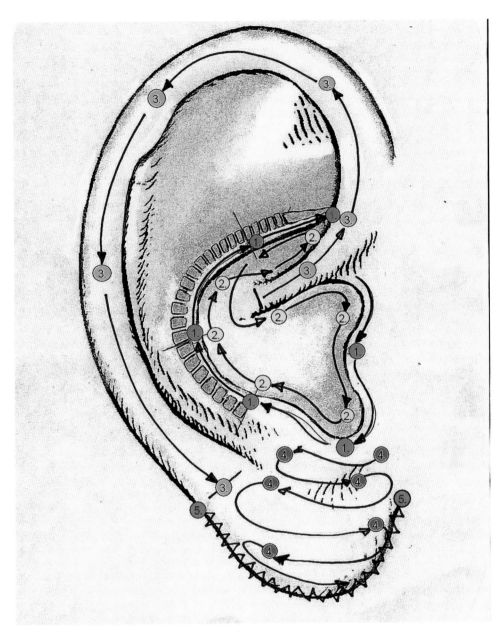

Imagen 41: Masaje de la oreja (Esquema)

Esquema del masaje

Masajeamos el trago, el antitrago, el antihélix y la raíz inferior del antihélix. Al principio tenemos el pulgar bajo el trago, casi pegado al agujero del oído. El índice se encuentra sobre el trago.

El primer paso es el masaje del trago, desde la raíz del hélix hasta la incisura intertrágica. Aquí hay que cambiar la posición. El pulgar pasa afuera, detrás de la oreja, y el índice al canto del antitrago. Después (siempre sobre el canto) el antihélix y finalmente la raíz inferior del antihélix hasta el ala del hélix. Por favor, siga siempre esta estructura, permaneciendo en los cantos correspondientes.

Masajeamos con ligera presión, y sólo con la yema del índice, toda la concha. Aquí se trata de alcanzar todas las zonas de la concha, tanto de la hemiconcha superior como de la inferior, en cada ángulo, de manera regular. ¡No se olvide de cortarse previamente las uñas!

Ahora toca masajear el hélix. El ala del hélix es masajeado con fuerza con el pulgar (bajo el ala del hélix) y el índice. El hélix comienza en la concha con la raíz del hélix y termina en el surco postantitrágico, en la cola del hélix.

Mientras que resulta muy fácil masajear con el índice y el pulgar el ala del hélix en la parte libre de la oreja, en la parte que está pegada, la raíz del hélix y en la concha nos serviremos de la yema del dedo, que iremos pasando circularmente sobre el correspondiente abultamiento.

Antes de empezar a masajear el hélix, debemos decidirnos si la cabeza "necesita energía", o si hay un vacío energético, lo que ocurre con bastante frecuencia. En este caso masajearemos hacia la cabeza. Si por el contrario hay un exceso energético, nos alejaremos de la cabeza.

Si queremos masajear hacia la cabeza, comenzaremos en el cartílago de la raíz del hélix (cruz del hélix) en la concha. Empezando en el centro de la concha masajeamos la raíz del hélix, hacia fuera, hasta llegar al ala del hélix.

Ahora masajeamos fuertemente con el pulgar y el índice hasta el surco postantitrágico. "Alejándonos de la cabeza" comenzamos en el lóbulo y masajeamos el ala del hélix hasta la concha.

Ahora masajearemos el lóbulo. El lóbulo debemos masajearlo horizontalmente en todos sus puntos. Esta no es tarea fácil. Para hacerla menos complicada podemos colocar el pulgar arriba y el índice debajo.

Para terminar hay que someter el borde del lóbulo a un tratamiento especial. Con la uña del dedo corazón –el pulgar vuelve a estar en la parte posterior de la oreja, y sirve para ejercer contrapresión- pellizcamos en pequeños pasos el borde del lóbulo. Éste paso se convierte para el paciente, si lo hacemos correctamente, en un auténtico placer. Para terminar acariciaremos con las palmas de las manos ambas mitades de la cabeza, paralelamente a la cabeza, incluyendo las orejas, de arriba hacia abajo. De este modo sacamos hacia el cuerpo el exceso de energía acumulada en las orejas. Para liberarnos nosotros también –ya que con nuestras manos hemos recibido bastante energía- las sacudiremos un poco. El masaje tiene un efecto sobre todo el cuerpo y el paciente suele referir que después se siente más relajado y vitalizado. En algunos casos, por ejemplo cuando un paciente está lleno de estrés y tensión, debería llevarse a cabo un masaje semejante, para eliminar los bloqueos del paciente, de modo que las siguientes terapias tengan el éxito deseado.

Además del masaje relajante de toda la oreja, el terapeuta puede solucionar con un masaje de determinadas zonas ciertas dolencias, si sabe orientarse por el singular atlas de la oreja.

5.2 Acupresura

La acupresura y el masaje puntual de ciertos puntos de la oreja ofrecen muy buenas posibilidades de actuar sobre el cuerpo, aunque sólo a nivel sintomático. Para ello no hace falta más instrumental que el pulgar y el índice, y en el caso de que queramos actuar sobre un punto concreto, una aguja de punto, un buscapuntos de metal o un bolígrafo. La zona o punto a tratar dependerá, naturalmente, de los síntomas del paciente. Su reflejo en la oreja quedará confirmado por la sensibilidad al dolor del punto en cuestión. Será fácil de encontrar, si conocemos bien la somatotopía de la oreja.

Al presionar en las partes de la oreja que no están pegadas a la cabeza (lóbulo, antihélix, escafa, fosa triangular, y el ala del hélix en la medida en que sea alcanzable) debemos colocar el pulgar por detrás, y el índice por delante, en la zona dolorosa, ejerciendo una fuerte presión.

La acupresura y el masaje puntual sólo tendrán lugar en el punto doloroso o la zona afectada. Es importante mantener la intensidad de la presión, hasta que el dolor se reduzca a la sensación normal.

Debemos pensar que en un primer momento la zona afectada reaccionará con mucho dolor. Un masaje puntual también puede resultar muy doloroso, pero es más efectivo. En principio el paciente decide, en base a su aguante, la duración del masaje. Es posible repetirlo varias veces al día. Cuanto menor sea la intensidad de cada sesión, mayor deberá ser la frecuencia de repetición.

Hay otra técnica para manipular la oreja. Ésta consiste en estirar y doblar con fuerza la zona virulenta de la oreja. La técnica se limita a un solo punto, y sólo se realiza cuando hay un problema agudo. Esta operación es especialmente efectiva en la región de la columna vertebral (antihélix, con ambas raíces del antihélix, con la fosa triangular y partes de la escafa). Aquí se pueden manipular la columna vertebral, las extremidades inferiores y superiores, así como los correspondientes tendones y ligamentos. Por regla general este método sólo es posible ejecutarlo a nivel organotrópico, y por tanto nos concentraremos en la zona más afectada. Hay que sujetar firmemente tanto la parte anterior como la posterior de la oreja. El punto a tratar su encuentra en la zona de contacto de los dedos de ambas manos. Acto seguido estiramos la oreja en esta región y después la doblamos en el mismo movimiento. Para ello seguimos estirando hacia el lado que le produce menos dolor al paciente.

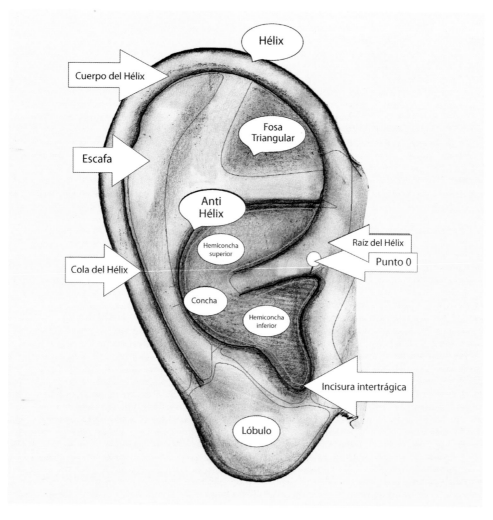

Imagen 42: zonas de la oreja

Este procedimiento provoca un fuerte dolor. Por eso sería importante avisar antes al paciente. Muchas veces se siente un crujido al terminar la manipulación. El paciente suele sentir una importante y rápida mejoría de sus molestias. Este método es un tanto rudo y no debería ejecutarse siempre, ni es bueno repetirlo en breves intervalos de tiempo.

Disgresión: Zonas de la oreja y su importancia terapéutica

Para la acupresura o el masaje de la oreja no necesitamos un esquema reflexológico tan minucioso. Ahora presentamos una sistematización muy simplificada de las zonas de la oreja, suficiente para este tipo de manipulaciones.

Zona 1: Lóbulo

En el lóbulo se refleja la cabeza y las patologías de la cabeza.

Por tanto, ante problemas como dolores de cabeza, dolencias oculares, excitación o decaimiento, dolores de muelas, infecciones bucales, etc., trabajaremos esta área, buscando los puntos dolorosos.

Mediante acupresura /entre índice y pulgar) o masaje puntual en la zona dolorosa podemos conseguir un alivio del problema.

Zona2: Hélix

Cada punto del hélix es en primer término un punto de regulación nerviosa (SNC) de la línea energética que recorre la oreja a partir del punto 0. Para los chinos, en el hélix se refleja el metabolismo hepático, lo que implica que todos los puntos dolorosos del hélix actuarán adicionalmente sobre éste.

La presión de los puntos dolorosos tiene un efecto relajante y suele producir alivio en los problemas metabólicos, inflamaciones, fiebre, hipertensión y enfermedades cutáneas.

Zona 3: Raíz del hélix

Aquí accedemos a problemas relacionados con sensibilidad a los cambios de tiempo, problemas genitales, así como diafragmáticos y estomacales (El estómago está en la concha, al final del cruz del hélix).

Zona 4: Escafa

Aquí se refleja la caja torácica, así como las extremidades superiores. En caso de dolor en estas regiones (brazo, mano, hombro, escápula, articulación del hombro y el codo) masajearemos primero toda la superficie, para después actuar de manera más concentrada en los puntos más dolorosos.

Los dolores o la presión en el pecho los comprobaremos y trataremos en el correspondiente segmento de la columna vertebral

Zona 5: Antihélix (incluída la raíz inferior del antihélix)

En la Zona 5 (Antihélix y raíz inferior del antihélix) se refleja la columna vertebral en su conjunto. En la zona 5.1 encontramos a nivel reflexológico los problemas cervicales. En la 5.2 problemas de la columna dorsal. En la zona 5.3 dolencias de la columna lumbar y el sacro.

Zona 6: Raíz superior del antihélix

Para los chinos, aquí es donde se reflejan las extremidades inferiores. Los europeos lo vemos de manera similar. La zona 6 es el lugar donde se representan los problemas de tendones, ligamentos y musculatura de las extremidades inferiores- tratando los dolores de los músculos, tendones y ligamentos aliviaremos a nivel sintomático las interacciones funcionales del aparato locomotor.

Zona 7: Fosa triangular

Al principio de la fosa, en el comienzo de la bifurcación de ambas raíces del antihélix, a la altura de la D12, se refleja la zona de la cadera. Aquí comienzan, lógicamente la parte ósea de las extremidades inferiores, que atraviesa la fosa triangular. Complementa así la proyección de las extremidades inferiores de la zona 6.

Los dolores de las extremidades inferiores, los dolores óseos, las neuralgias, ciática, etc. de las extremidades inferiores, mejoran con un masaje puntual, a veces incluso con acupresura.

El terapeuta debería concentrarse en los puntos más dolorosos. En dirección a la punta de la oreja encontraremos (en esta área también se refleja el "Talón"), el "Útero". En caso de problemas urogenitales encontraremos aquí puntos dolorosos.

Por lo general, el tratamiento del área de la cadera (aquí encontramos también un punto, al que los chinos llaman Shen men (Corazón 7)) tiene un fuerte efecto relajante, por lo que es aplicable en muchas circunstancias.

Zona 8: Hemiconcha superior

En el borde de la raíz del hélix encontramos, en la base de la concha, las áreas del tracto digestivo descendiente, desde el intestino al ano. En la curvatura del antihélix tenemos importantes sistemas orgánicos como el Hígado, el Bazo, el Páncreas, el Riñón, la Vejiga y la Uretra

En estas regiones se puede alcanzar un gran alivio masajeando o presionando sobre los órganos afectados. En medio se encuentra el plexo hipogástrico. En caso de calambres u otros problemas en la región abdominal, podemos producir un gran alivio mediante masaje puntual. Aunque no hay que excederse, ya que en esta zona es fácil ocasionar desajustes.

Zonas 9 y 10: Hemiconcha inferior

Aquí encontramos el Campo pulmonar, que ocupa casi toda la hemiconcha inferior. Prácticamente en el borde, en la base de de la incisura intertrágica, encontramos interacciones endocrinas. En el borde de la raíz del hélix tenemos la Garganta, el Esófago y finalmente, al final de la raíz del hélix, está el Cardias.

Un masaje en las zonas correspondientes producirá una rápida relajación en caso de taquicardia, arritmias, patologías pulmonares, bronquitis aguda o crónica.

Zona 11: Trago

El masaje del trago tiene un efecto tranquilizante y regulador. Un vigoroso masaje de la Zona de compensación psicosomática (N. Krack) relaja y calma especialmente al paciente.

Zona 12: Antitrago

Aquí encontramos el cráneo y el cerebro. Por eso es importante realizar aquí un masaje suave. Dolores de cabeza, insomnio, traumas, etc. pueden ser mejorados con un masaje suave pero largo de esta zona.

5.3 Acupuntura láser

5.3.1 Introducción

Si lo pienso bien, me compré el primer láser porque con él podía tratarme a mí mismo. Buscas con el láser el punto conflictivo. Suena la señal, activas el láser y tratas el punto con la frecuencia y duración adecuadas.

En realidad, hay muchas razones para comprarse un láser. La terapia láser de la oreja no es un débil suplemento de las agujas, pues tiene un gran efecto. A los pacientes que se niegan a someterse a una sesión de auriculoterapia por miedo a las agujas, se les puede ayudar con el láser. En estos casos es positivo poder recurrir a él.

Láser son las siglas de"light amplification by stimulated emission of radiation" y significa "amplificación de la luz por emisión estimulada de radiación". La particularidad de la radiación láser es que puede ser aplicada en medicina de manera selectiva.

El descubrimiento de la terapia láser se remonta a 1960. En aquel tiempo se desarrolló por vez primera una radiación infrarroja de láser.

La verdadera razón del efecto sanador del láser es el hecho de que el hombre posea un "cuerpo energético", que forma un campo energético. Una serie de vibraciones influyen en todos los procesos bioquímicos del cuerpo. El físico alemán Albert Popp consiguió demostrar que las células de todos los seres vivos irradian oscilaciones electromagnéticas, que en un organismo sano se presentan como un campo energético autorregulable.

A partir de este hecho, la enfermedad se entiende como una disminución del orden y un aumento del caos en el organismo. La enfermedad implica, por tanto, una disminución de la coherencia y la capacidad reactiva de la célula.

En este caso, las células dejan de responder a los mecanismos orgánicos de regulación. Cuando impera la salud tenemos una compensación armónica y una buena capacidad reactiva del organismo.

La capacidad reactiva del organismo depende de la cómo las células están en condiciones de recibir energía y traspasarla, así como de la medida en que reaccionan a los estímulos.

Una terapia efectiva deberá, por tanto, ser capaz de liberar al organismo del caos y la rigidez reguladora, permitiendo la recuperación del flujo de informaciones regulativas entre las diferentes células.

Para su aplicación en la oreja precisamos un láser muy regulable, con una amplitud de potencia de entre 0,5 mW hasta un máximo de 20 mW. Además debería contar con las frecuencias de Nogier y Bahr, así como con frecuencias de libre programación.

El efecto de la láserterapia sobre la oreja depende sobre todo del tipo de emisión y de la frecuencia, y no tanto de la cantidad de energía.

La modulación y la frecuencia del rayo láser determinan informaciones más importantes para la auriculoterapia que la intensidad de energía aportada.

5.3.2 Modulación

La forma de modulación más frecuente y adecuada es sinusoidal. Esta modulación está considerada como especialmente armónica y al cuerpo le resulta especialmente fácil compensarla. En caso de dolores y para "romper" con las frecuencias existentes se prefiere la modulación cuadrangular.

El efecto es, a causa del abrupto patrón de frecuencia, más duro que el de la sinusoidal. Cuando el láser penetra en el cuerpo de manera directa, ininterrumpida, sin regulación, se habla de una emisión continua. En este caso se produce una transmisión máxima de la energía ofrecida. Esta variante se usa pocas veces, ya que no es posible regularla en función de la situación orgánica concreta. Aunque no deja en absoluto de ser útil, en caso de que lo único que yo quiera sea ofrecer un estímulo energético inespecífico. Aunque aquí es importante la experiencia del terapeuta, para saber cuánto tiempo puedo actuar sobre una situación orgánica, sin provocar daño alguno.

5.3.3 Frecuencias

Las frecuencias tienen una importancia decisiva en el tratamiento láser. Además de la posibilidad de elegir libremente las frecuencias, un aparato láser debería contar al menos con las de Nogier. El doctor francés descubrió en sus investigaciones, que las frecuencias tenían un efecto muy especial cuando se correspondían con la frecuencia propia del órgano o sistema orgánico afectado.

En función a su especial efecto sobre los problemas orgánicos, Nogier desarrolló 8 ámbitos de frecuencia (A a G y la frecuencia universal) así como las frecuencias t-m-o.

Frecuencias TMO

La capa profunda (T) del tejido tiene una frecuencia de 599,5 Hz. Según Nogier se trata del nivel de creación energética y la de la transformación de la propia energía vital.

La capa media (M) del tejido tiene una frecuencia de 1.199 Hz. Es el nivel de la transformación energética en los ámbitos hormonal y nervioso.

La capa superior (O) tiene una frecuencia de 2.388 Hz. Constituye la superficie de contacto entre el interior y el exterior, entre el organismo y el entorno. Mientras que en las capas profundas los puntos señalan problemas crónicos, en la superficial encontramos las predisposiciones orgánicas.

Las frecuencias TMO permiten, como mucho, llegar a conclusiones diagnósticas. En la práctica se trabaja poco con ellas, ya que el efecto del láser no se limita a sólo uno de los niveles cutáneos. Mayor trascendencia tienen sin duda las llamadas frecuencias de Nogier. Éstas son utilizadas en función a los efectos que se les adjudican:

Frecuencia A; (Acupuntura corporal: Punto de correspondencia); 2,82 Hz (A`292 Hz)

Frecuencia del desorden/ estados agudos. Aplicar por ejemplo en caso de tumores, reuma, alergias, cicatrices e inflamaciones.

Frecuencia B; (Acupuntura corporal: Punto sedante); 4,56 Hz (B`584 Hz)

Frecuencia del endodermo, de las intoxicaciones y de los desajustes metabólicos/estados crónicos. Aplicar en caso de intoxicaciones alimentarias.
Problemas de nutrición y falta de oxígeno, artrosis, úlcera, etc., así como en caso de problemas metabólicos.

Frecuencia C; (Acupuntura corporal: Punto tonificante); 9,12 Hz (C`1168 Hz)
Frecuencia del mesodermo. Aplicar en caso de problemas circulatorios, del transporte energético y de las funciones musculares, de origen metabólico, renal u hormonal.

Frecuencia E; (Acupuntura corporal: puntos de inicio de meridiano); 36,5 Hz (E`4672 Hz)
Frecuencia del ectodermo, de la región occipital, de la médula espinal y de los nervios. Aplicar en caso de problemas de las vías nerviosas, trigémino, neuralgias, hérpes zoster, descoordinación, etc.

Frecuencia F; (Acupuntura corporal: Puntos del meridiano); 73 Hz
Frecuencia de las estructuras subcorticales, frecuencia emocional. Aplicar en caso de desorientación espacial y temporal, depresiones y cuadros depresivos de niños retardados, edema de Quinke, etc.
Frecuencia D; (Acupuntura corporal: puntos de alarma); 18,25 Hz (D`2336 Hz)
Frecuencia de las desconexiones interhemisféricas. Aplicar en caso de trastornos psíquicos, así como en estados de desorientación física y espacial y agotamiento.

Frecuencia G; (Acupuntura corporal: puntos fuente); 146 Hz
Frecuencia de la corteza prefrontal. Aplicar en caso de trastornos psicosomáticos, preocupaciones, miedo, etc.

Frecuencia U; 1,14 H
Frecuencia universal. Aplicar en caso de desorden, alergias, cicatrices, campos de interferencia, etc.
Actúa de manera similar a la frecuencia A.

5.4 Electroacupuntura

La electroacupuntura se basa, al igual que la electropuntura, en el principio de la aplicación de impulsos eléctricos dosificables para estimular determinados puntos de la piel. El procedimiento consistente en tratar puntos de la piel con impulsos eléctricos se remontan a los ensayos de De la Fuye en los años 50. Voll lo convertiría en procedimiento terapéutico. La electroacupuntura de Voll ha encontrado su espacio en el mundo de la medicina. Sobre todo se utiliza en la acupuntura corporal.

Los buscapuntos con dispositivo eléctrico utilizan por lo general la frecuencia universal de Voll con 10 Hz. En caso agudo, los impulsos eléctricos pueden utilizarse también en combinación con acupuntura para combatir el dolor. Para ello se utilizan aparatos de estimulación eléctrica, de intensidad regulable y frecuencia baja, por lo general de entre 1 y 20 Hz.

Las agujas de acupuntura son conectadas al aparato con un cable.

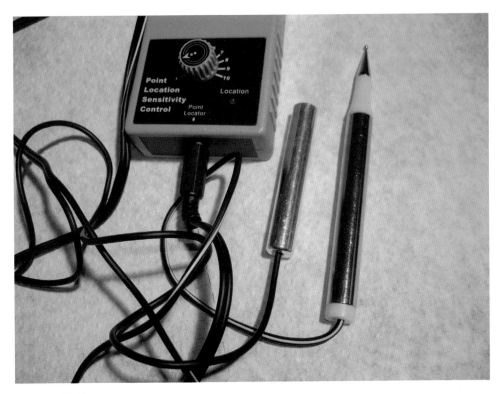

Imagen 43: Electroacupuntura

El impulso fluye de una aguja a otra (de más a menos). La intensidad debe ajustarse de modo que el paciente sienta un claro impulso eléctrico. Si el paciente dice que siente una quemazón es porque el impulso es demasiado fuerte.

Atención: *el método descrito más arriba sólo funciona en la acupuntura corporal en caso de que se utilicen agujas que penetran profundamente, o agujas chinas subcutáneas. La manera en que solemos colocar las agujas en la oreja (agujas cortas colocadas perpendicularmente en el tejido) no es adecuada para la electroestimulación, ya que en el momento en que aumentamos la inervación energética serán expulsadas de inmediato.*
Después de un tiempo el paciente dejará de sentir los impulsos.
De ahí que haya que regular continuamente la intensidad eléctrica, de modo que el paciente vuelva a sentirlo. En caso de problemas crónicos, el tratamiento durará ente 10 y 20 minutos. El tratamiento puede repetirse al cabo de 2 o 3 días.
Dado que hay que variar continuamente la intensidad, duración y frecuencia del tratamiento, y todo ello requiere mucha experiencia, existe el peligro de que el principiante sobreestimule al paciente. En semejantes casos habría que estirar los intervalos de tratamiento.

Quien quiera ocuparse más a fondo de la cromoterapia, tendrá que leer la Teoría de los Colores de Goethe.

5.5 Cromoterapia

Diferentes culturas de la Antigüedad ya conocían el carácter sanador de los colores. Griegos, egipcios, indios, chinos y otros pueblos conocían métodos de cromoterapia para sanar a los enfermos.
La moderna cromoterapia tiene su origen en los trabajos de Finsen (premio Nobel de Medicina en 1903). Sus conclusiones fueron aplicadas primeramente en medicina convencional, aunque apenas fueron desarrolladas en este campo. Por lo general los médicos actuales se limitan al uso de irradiación con luz roja y azul. Aunque teniendo en cuenta la probada efectividad de estas aplicaciones no se hace necesario demostrar el efecto sanador de los colores.

Desde el punto de vista de la medicina natural, la cromoterapia está especialmente indicada para enfermedades crónicas. Sobre todo en casos en los que el organismo apenas tiene capacidad de reacción, cuando apenas fluye la energía y cualquier estímulo demasiado fuerte provocará un caos, se hace especialmente conveniente recurrir a un método tan suave como éste.

También es posible, claro está, aplicar esta terapia ante un problema agudo. Aunque cuando la capacidad de reacción del organismo es la adecuada contamos con posibilidades mejores, por lo que en esos casos se suele usar poco la cromoterapia. La base de esta técnica es la aplicación de luz y color. Los colores son márgenes de frecuencia de la luz. Tienen un efecto energético sobre el organismo y está reconocida su capacidad curativa.

Rojo
El rojo es el color de la vida rebosante y del fuego. Es el color con mayor capacidad de penetración. Como color del corazón, del pulmón y los músculos encuentra sobre todo aplicación en caso de trastornos circulatorios y cuando las dolencias tienen su origen en una falta de energía, por ejemplo problemas de la piel, de los pulmones y la sangre. A nivel psíquico el rojo tiene un efecto estimulante y ayuda a mejorar el rendimiento, cuando nos encontramos ante un vacío energético o un exceso yin. De lo contrario pondrá nervioso y agresivo al paciente.

Amarillo
El amarillo es un color "caliente", el color del sol del mediodía. Su efecto es estimulante. A nivel terapéutico tiene un efecto especialmente positivo sobre el estómago y todo el tracto intestinal, y estimula el metabolismo (hígado, riñón, etc.). A nivel psíquico, el amarillo anima. Aumenta la concentración en periodos de debilidad y el interés por las cosas que nos rodean.

Azul
El azul es el color de la calma. Enfría y relaja. Por ello se usa cuando nos enfrentamos a una dolencia provocada por exceso energético, así como en estados yang. El azul ha demostrado su especial eficacia en caso de calambres. Se utiliza en todos los dolores provocados por exceso energético.

Verde
El verde equilibra, tiene un efecto neutralizador. Es el color más frecuente en la naturaleza y nos aporta paz y felicidad. El verde se emplea en caso de enfermedades crónicas, siempre que haya que ordenar y compensar los mecanismos de reacción del organismo. El verde está indicado en caso de tumores, quistes, enfermedades oculares, diabetes, etc.

Naranja

El naranja es una mezcla de rojo y amarillo y nos brinda alegría y optimismo. Estimula y nos pone en movimiento. Está indicado cuando impera el descontento, el pesimismo, y en caso de psicosis, depresiones y miedo. También ha demostrado su efectividad para tratar problemas cardiacos y esclerosis.

Violeta

El violeta es el color de la inspiración y la penetración espiritual y mental. Su aplicación induce a la claridad, fortalece la capacidad mental y la inspiración. Mejora las defensas y ordena.

Estas indicaciones y la fuerza de los colores puede tener un efecto especialmente duradero sobre el cuerpo,

Aunque la aplicación práctica de estos conocimientos sólo ha sido posible en combinación con la acupuntura y la auriculoterapia. La aplicación de la cromopuntura en la oreja se lleva a cabo basándose exclusivamente en las reglas de la auriculoterapia, o se que en caso agudo trataremos –en la oreja del lado afectado- los puntos en los que se manifiesta la dolencia.

En caso de enfermedad crónica trataremos en ambas orejas todos los puntos que establecen una interacción patológica.

Recetas para determinadas dolencias, como por ejemplo migrañas, hipertensión, depresiones, asma, enfermedades oculares, etc. son sintomáticas y poco efectivas, ya que no tienen en cuenta las particularidades e interacciones patológicas del paciente.

Los caminos de la sanación son tan variados como las formas en que se presentan las enfermedades.

La cromopuntura exige tiempo y paciencia. Cada punto debe ser tratado durante un tiempo. Las nuevas fuentes de luz, más potentes, han aumentado a lo largo de los últimos años la efectividad de la cromopuntura, ya que permiten un menor tiempo de aplicación. Aunque con ello se ha puesto en tela de juicio un importante argumento a favor de la cromopuntura, el de la suavidad del estímulo.

La aplicación debería llevarse a cabo cada 2 días, lo cual resulta un tanto engorroso Ello conlleva un aumento importante del coste y el tiempo empleado.

5.6 Tendencias críticas de la auriculoterapia

En los años que han pasado desde el "invento" de la auriculoterapia por parte de Nogier, se han desarrollado una serie de tendencias diferentes de las descritas en la presente obra, y también basadas en las tesis originales de Nogier, que considero especialmente problemáticas. Me voy a centrar en dos de estas estrategias:

5.6.1 El concepto NADA

NADA (National Acupuncture Detoxification Association) es una sociedad científica de utilidad pública. El concepto de NADA es una combinación terapéutica para tratar adicciones, que fue desarrollada en Estados Unidos. Inicialmente surgió como un tratamiento general para pacientes adictivos de ámbitos sociales humildes, en el que se aplican 5 agujas en cada oreja. Según NADA el tratamiento desata un proceso experiencial no verbal. El procedimiento está estrictamente integrado en la oferta psicosocial de los pacientes adictos.

Se colocan 5 agujas de acero en los puntos Shen men, S. Vegetativo I, Riñón, Hígado y Pulmón, en ambas orejas. Según tengo entendido, los puntos de la oreja no se buscan.

Se colocan agujas en los que cabría encontrar, en base a la somatotopía, problemas relacionados con las adicciones. Siempre se colocan las mismas agujas, independientemente de la persona y la enfermedad. Parece que parten de la base de que todos los enfermos enfermaron por los mismos motivos, y que actuando sobre esos 5 puntos pueden sanarse todos por igual.

Esto no es una auriculoterapia en el sentido estricto, sino una terapia absolutamente inespecífica de estímulos percutáneos. Es cierto que por lo general su aplicación produce un efecto relajante, aunque en ningún caso reacciones curativas relacionadas concretamente a un trastorno orgánico, como las que podemos esperar en la auriculoterapia o la acupuntura clásica.

No habría nada que objetar, si NADA no hubiera hecho extensivo este concepto terapéutico para superar el estrés de toda naturaleza y condición, así como para tratar a niños y jóvenes hiperactivos. A más tardar ahora debería tener lugar un planteamiento crítico de estos métodos. El hecho de que una práctica semejante no provoque daño alguno no quiere decir nada. ¡No basta con que una terapia no sea perjudicial! Hay vías mejores y sobre todo más prometedoras para esas enfermedades. Un terapeuta responsable debería plantearse al menos semejantes cuestiones Esta situación la considero especialmente problemática, pues me da la sensación de que el hecho de que consigan ciertos efectos impide a los terapeutas de NADA buscar métodos mejores de sanación.

5.6.2 Implantes en la oreja

Se implanta una fuente energética allí donde se proyecta en la oreja la patología orgánica, y ésta permanece allí, pues se parte de la base de que una actuación vitalicia sobre el reflejo sería la única vía de actuar de manera duradera sobre esa patología.

Creer que es posible reprimir un síntoma o, más aún, una interacción orgánica compleja mediante un estímulo permanente, es un error dramático.

Nuestro cuerpo reacciona a cualquier estímulo agudo, y dependiendo de la dimensión de semejante influjo externo, se producirá una regulación más o menos compleja por parte del organismo.

Aquí hay que tener en cuenta que mucho no tiene porqué actuar mucho. El estímulo en la oreja sólo puede aplicarse en una intensidad y duración que no exceda las posibilidades de regulación del cuerpo. Un estímulo demasiado fuerte, al igual que una duración demasiado larga del influjo, provocarán un rechazo. Del mismo modo que se puede producir un efecto terapéutico, con la misma rapidez se puede provocar un bloqueo (fenómeno de segundos). Un estímulo leve, sin embargo —y ello no depende tanto del número de los implantes o agujas, sino sobre todo de la precisión con la que se actúa sobre los puntos o síntomas- no haría sino retrasar la reacción del cuerpo o incluso eliminar cualquier reacción a la larga.

Pero en caso de que el organismo ya haya reaccionado a un estímulo —de modo que el problema haya sido regulado o transformado- ya no haría falta un estímulo en este punto. En la práctica ello significaría que la aguja queda "liberada" y podemos sacarla. En caso de que la aguja no sea sacada y permanezca en el tejido, se mantendrá el estímulo inicial. Esto tendrá como obligada consecuencia que se produzcan de nuevo los síntomas originales.

Un implante desarrolla su influencia en base a su potencial energético de manera continuada, o sea que al no poder ser sacado produce un estímulo permanente, que probablemente ya no sea necesario. Mediante un implante que no es posible sacar se le roba al cuerpo la capacidad de autorregularse.

PROYECCIÓN DE LOS ÓRGANOS
Y SISTEMAS ORGÁNICOS

Capítulo 6. Proyección de los órganos y sistemas orgánicos

La somatotopía de Nogier sigue gozando de gran consideración. Todos los especialistas en auriculoterapia, independientemente del concepto terapéutico que utilicen, se sirven de ella. Las diferencias con respecto a la forma de moverse en esa topografía surgen a partir de diferentes raíces culturales médicas (medicina china versus medicina europea) y por otro lado de las diferentes maneras de afrontar la enfermedad (medicina natural versus medicina convencional).

El hecho de que en la oreja sólo se reflejen como puntos las patologías y anomalías orgánicas es algo que muchos auriculoterapeutas no entienden.
Pensar que se puede reducir la reflexología de un problema orgánico a un solo punto es sencillamente erróneo. Un problema hepático quedará reflejado en el área del Hígado, pero al final sólo tendremos un punto en una zona que se extiende en la concha desde la cuarta a la décima vértebra dorsal. Un punto que se proyecte a consecuencia de una patología estomacal lo tendremos en algún lugar del área del Estómago.

¡Sólo hay que buscarlo! Las estrategias basadas únicamente en indicaciones y disquisiciones clínicas son, en cualquier caso, menos efectivas que las que parten de la base de que cualquier enfermedad estará representada en la oreja en toda su causalidad, con las correspondientes interacciones patológicas que deben ser valoradas.

Partir de una serie de efectos alcanzados por el mero hecho de tratar ciertos puntos aislados lo considero básicamente problemático, ya que la explicación de su efecto sobre el conjunto de la patología surge de la reacción de los diferentes niveles causales. Por este motivo no me parecen en absoluto claras las explicaciones de puntos que se esconden bajo denominaciones tales como Punto Gestágeno, Punto Renín-Angiotensina, Punto de Receptores Beta 1, Punto de Receptores Beta 2, Punto Prolactina, etc.

Cuando la paciente desea en vano tener un hijo nadie debería tratarla únicamente en un punto concreto sin considerar todas las razones que llevan a que esta mujer tenga ese problema. La cuestión de si hay que tratar un punto semejante se decide exclusivamente en base a si realmente está presente en la oreja.

En otros contextos resultan igual de problemáticas las denominaciones de puntos.

Es sencillamente falso pensar que el efecto relajante de Shen men (Corazón 7 de la acupuntura corporal), en la oreja, con la denominación china de punto 55, tenga nada que ver con el meridiano del Corazón (el C7 es el punto sedante de este meridiano) y tiene un efecto relajante en la acupuntura corporal.

La explicación del efecto calmante de este punto en auriculoterapia hay que buscarla exclusivamente en la reacción relajante sobre la región de la Cadera, en cuya área de tratamiento se encuentra.

Semejantes conclusiones provienen de los señores König y Wancura y se refieren a indicaciones similares a las de determinados puntos de la acupuntura corporal.

Eso no impide que se sigan describiendo las áreas y los puntos en función de los efectos esperados, de modo que el poco estructurado mapa de la oreja resulte más comprensivo.

Yo prefiero basarme en un principio que Günther Lange consideraba básico. Lange pensaba que era importante adquirir primero tanto conocimiento como fuera posible, después había que examinar su validez, para terminar sirviéndonos únicamente de aquello que demostró su eficacia terapéutica.

Así, después de confrontarme con las escuelas más diversas, desde König/Wancura a Budcek y desde N. Krack a Elias, me he centrado en los puntos que han demostrado su validez, dejando de lado aquellos que no lo han hecho. Dado que en la actualidad no existe una nomenclatura homogénea, prevalecerá la descripción nominal relativa a órganos o reacciones. Para que todo ello sea lo más comprensible posible, las aclaraciones no las he ordenado en función a un principio espacial (por ejemplo: todos los puntos de la concha o todos los puntos de la fosa triangular, etc), sino que lo he hecho en base a sus interacciones funcionales y reactivas.

Aquí tenemos las diferentes zonas y sistemas:

- Columna vertebral y caja torácica
- Órganos internos
- Extremidades superiores e inferiores
- Sistema rítmico
- Cabeza y sistema nerviosos central y autónomo
- Sistema endocrino y genitales
- Sistema inmunitario
- Interacciones psicosomáticas
- Líneas energéticas y de tratamiento
- Cara posterior de la oreja
- Puntos y zonas especiales

Para la denominación de los puntos nos serviremos de las nomenclaturas de autores como Schrecke/Wertsch y König/Wancura 7 (NOTA*), así como de Günther Lange8, Rudolf Budcek 9 y otros. Debo repetir nuevamente que estas descripciones de los puntos son, a mi modo de ver, más estímulos que representaciones científicas exactas. Por ello no debemos pensar en ningún caso que se encuentren explícitamente en el punto descrito. Sólo en el contexto global de la patología del paciente podremos confirmar una denominación o reflexionar sobre ella.

6.1 La columna vertebral

Es bien conocida la estructura de la columna vertebral. Hay:

7 vértebras cervicales
12 vértebras dorsales
5 vértebras lumbares
5 vértebras sacras
y unas 4 vértebras coxales. Las 24 vértebras presacrales (cervicales/dorsales/lumbares) conforman la parte móvil de la columna. Las 5 vértebras sacras, al igual que las coxales, están fundidas cada una de ellas a un hueso poderoso (sacro/coxis).
Las vértebras de la parte móvil de la columna están enlazadas por los discos intervertebrales. Un complejo aparato tendinoso convierte el conjunto en una unidad fuerte pero flexible.

NOTAS:

7 König/Wancura, Hrg.: Praxis und Theorie der Neuen Chinesischen Akupunktur,
Bd. 3: Ohrakupunktur, Verlag Wilhelm Maudrich 1998
8 Günter Lange: Akupunktur der Ohrmuschel, Verlag WBV 1985
9 Rudolf Budcek: Praxis der Ohrakupunktur, Haug Verlag 2000

Según la Medicina Tradicional China, los problemas de espalda surgen por los conflictos sociales y personales que arrastramos. No es difícil imaginar cómo se tensa y bloquea la espalda de alguien que no es capaz de solucionar sus problemas.

Para entender la importancia que la MTC da a esta región del cuerpo, sólo hay que decir que el meridiano extraordinario Du Mai (Vaso Gobernador) recorre la columna vertebral en su eje central. En la acupuntura china es el meridiano que acumula todas las fuerzas yang. Además de este cometido alimenta el sistema energético con la energía hereditaria de los riñones. Nace de los riñones, su punto 1 inicia el recorrido superficial en la punta del coxis y asciende por el centro de la columna hasta la nuca. Si el terapeuta quiere poner coto a la enfermedad de su paciente, no le queda más remedio que tratar también la columna vertebral.

Resulta interesante que la representación de la columna vertebral "china" en la oreja sea tan diferente de la de Nogier. Para el francés la columna se refleja como una estructura vertical en el antihélix y la cruz inferior del antihélix.

Comienza en el antihélix, en el surco postantitrágico y finaliza oculta bajo el ala del hélix al final de la raíz del antihélix. o sea que la proyección china se encuentra, como cabría esperar, también en el canto del antihélix, aunque a partir de aproximadamente la D11 (punto 43 chino=lumbago) gira hacia la escafa a la altura de la L2 (sacro). Al igual que ocurre con otras proyecciones chinas del cuerpo, en la oreja partimos de la base de que las diferencias surgen del hecho de que para los chinos las proyecciones orgánicas son menos interesantes, ya que ellos consideran las patologías como interacciones funcionales. Ellos definen por ejemplo los problemas articulares como ámbitos funcionales y encuentran sus proyecciones en el nivel de músculos, tendones y ligamentos. A pesar de que las descripciones y proyecciones que presentaremos a continuación no se basan en la concepción china, no está de más considerar que sus proyecciones tienen también su lógica.

Según su situación en la oreja (antihélix y raíz inferior del antihélix) podemos determinar con exactitud los diferentes tramos de la columna vertebral. La articulación occipito-cervical (atlas) se marca según ello en un pequeño promontorio cartilaginoso al comienzo del antihélix, justo después del surco postantitrágico. Aquí comienza la columna vertebral y con ella la zona de la columna cervical. Ésta ocupa aproximadamente una cuarta parte de la longitud del antihélix (A). El fin de la columna cervical

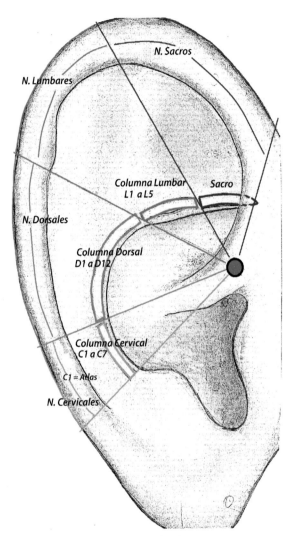

Imagen 44: Proyección de la columna vertebral

y el comienzo de la dorsal lo encontramos pasando con suavidad la uña por el canto del antitrago. Hay que hacerlo con cuidado, ya que una presión excesiva confundirá las estructuras.

A la altura de la raíz del hélix podemos palpar una muesquita en el antihélix. Aquí tenemos la transición de la columna cervical (C7) a la dorsal (D1). A partir de aquí el canto del antihélix se vuelve más superficial y menos elevado. Hay orejas en las que este tramo apenas tiene contorno. Aunque ello no impide que la columna dorsal se proyecte aquí, de modo que los bloqueos en este ámbito pueden palparse. La proyección de la columna dorsal (B) finaliza en el antihélix, a la altura de la bifurcación de ambas raíces del antihélix. La transición de la columna dorsal (D12) a la lumbar (L1) se encuentra en una muesca palpable del antihélix.

Desde aquí –se puede reconocer por ello- el relieve del antihélix se hace mucho más pronunciado. La columna lumbar y el sacro se proyectan en la raíz inferior del antihélix (C y D) aproximadamente a partes iguales.

Adicionalmente a la proyección vertical de la columna vertebral en la oreja se encontró en Francia en los años 70 el reflejo horizontal de toda la columna (vértebras, discos, músculos, tendones, ligamentos, nervios), representando por fin lo que a lo largo de los años había sido probado y documentado a nivel terapéutico.

Tanto vértebras, discos, músculos y tendones, como las interacciones orgánicas nerviosas y endocrinas las encontramos reflejadas en un nivel horizontal de la oreja, perpendicularmente al antihélix.

En la transición del canto del antihélix a la escafa encontramos los tendones, músculos y ligamentos (¡en la región cervical también los nervios y vasos superficiales!). Las vértebras se proyectan en la parte central del antihélix.

En el otro lado del anthélix, en la zona llamada antemuro, que se inclina hacia la concha, tenemos la zona de los discos y la del sistema simpático paravertebral. Aquí se encuentran sobre todo puntos de regulación nerviosa y endocrina de los órganos que se encuentran en la concha. Por ejemplo, a la altura de la C5/C6 = Paratiroideas, C 6/C7 = Tiroideas, D 1/D2

= Timo, D 5 = Mama, D 6 = Sistema endocrino/Páncreas, D 11/D12 = Suprarrenales.

6.2 Proyección de la caja torácica

La proyección de la caja torácica ocupa horizontalmente todo el espacio de la escafa, desde el ámbito muscular de la columna hasta el canal vegetativo, y verticalmente de la D1 a la D12. Las conexiones de las costillas con la columna se producen en los espacios intervertebrales. El inicio de la primera costilla habrá que buscarlo por ejemplo en caso de trastornos en el nivel muscular de la columna (transición con la escafa) entre la D1 y la D2. Limítrofe con el canal vegetativo y prácticamente finalizando la zona de las costillas se proyecta, verticalmente entre la C7 y la D8, el esternón.

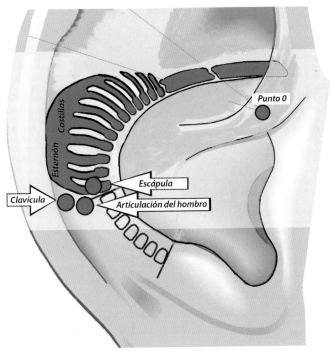

Imagen 45: Proyección de la caja torácica

6.3 Proyección de los órganos internos

6.3.1 El tracto digestivo

El tracto digestivo tiene 2 zonas de proyección: la zona orgánica como tal se encuentra en la base de la concha, muy cerca de la raíz del hélix.
Comenzando en la hemiconcha inferior, cerca del conducto auditivo, el área del tracto digestivo se inicia en el punto de la Garganta, pasa por el Estómago, al final de la raíz del hélix, hasta el punto Colon, en la hemiconcha superior. Rodea, por tanto, toda la raíz

del hélix. Los puntos de regulación nerviosa y endocrina para los órganos de la concha se encuentran en la curvatura del antemuro. Su conexión inmediata con los órganos —siempre y cuando exista algún tipo de disfunción o anomalía- la encontraremos en forma de puntos críticos en el segmento afecta- do (ver línea de trabajo).

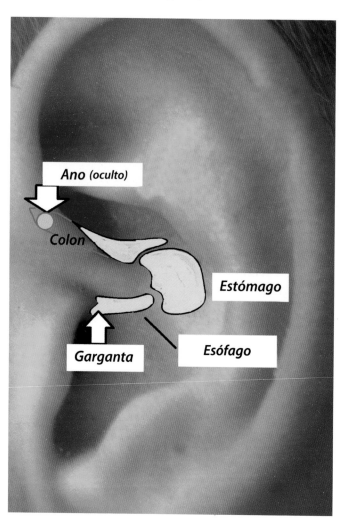

Imagen 46: Proyección del tracto digestivo.

Una minuciosa localización de los puntos no es posible por la variada forma y estructura de las diferentes orejas. De ahí que a la hora de representar los puntos describiré más bien las áreas. El terapeuta encontrará los problemas del tracto digestivo como puntos en las áreas correspondientes, en las que se proyectan las patologías de la boca, el esófago, el intestino delgado y grueso o el ano.

Garganta (Faringe)
Situación: Hemiconcha inferior, debajo de la raíz del hélix cerca del conducto auditivo.
Indicaciones: Patologías de la garganta y la cavidad bucal y la faringe; problemas de la musculatura faríngea y de los mecanismos de deglución.

Nota: ¡Zona orgánica! Lange considera esta área también como "Interior de la boca". Cuando se trata de pacientes sensibles es mejor no poner agujas o trabajar con sumo cuidado con el láser. Según Nogier, aquí se producen efectos secundarios sobre los genitales, la energía y los cambios de ánimo.

También en caso de "voracidad", en terapia contra el tabaco y faringitis. Convendría tener en cuenta del mismo modo los puntos "Paladar", Base de la Boca y "Lengua", que deberían ser incluidos en el tratamiento de las afecciones mencionadas arriba. Su situación en pleno lóbulo –aquí se proyecta la cabeza con sus funciones de regulación- nos señala que no se trata de un órgano, sino de puntos de regulación.

Paladar
Situación: Lóbulo
Indicaciones: Trigémino, dolor de muelas, estomatitis

Base de la boca
Situación: Lóbulo
Indicaciones: Trigémino, dolor de muelas

Lengua
Situación: Lóbulo
Indicaciones: Glositis, trastornos del gusto, apetito excesivo, amigdalitis, faringitis, estomatitis, dolor de muelas, etc.

Esófago
Situación: área de la hemiconcha inferior, entre garganta y estómago (cardias)
Indicaciones: Espasmos, problemas de deglución ("la comida no baja"), etc.

Estómago

Situación: el campo del estómago tiene forma de media luna y se encuentra en la concha, al pie de la raíz del hélix. La entrada del estómago (cardias) conforma la transición desde el esófago. El Campo del Estómago se refleja en ambas orejas por igual.

Indicaciones: problemas estomacales de todo tipo. Patologías del estómago y el duodeno con efectos secundarios en otros órganos del vientre. Puede resultar interesante su tratamiento en relación a cambios de ánimo.

Nota: las transiciones de la Garganta, el Esófago y el Cardias hasta el Campo del Estómago son fluidas. La decisión sobre el modo y lugar de la aplicación terapéutica debe realizarse en función del problema detectado. Debería colocarse una aguja en el punto más sensible.

La inervación del campo del estómago puede entre otras cosas estimular el apetito. El efecto contrario lo conseguimos con el punto Voracidad. Éste se encuentra a la altura de la segunda vértebra dorsal, en la curvatura del antemuro y es un punto de regulación endocrina del estómago. Se trata de un punto muy efectivo para controlar el sobrepeso. En este contexto destacaremos también los siguientes puntos: Punto del Hambre 2 (424 de Krack) y Punto de la Sed 2 (426 de Krack): estos puntos están uno debajo del otro cerca del centro de la mitad inferior del trago. En el campo del estómago también encontramos el Punto 6 de Nogier (Punto de mando de la función estomacal).

Duodeno

Situación: Transición del final dorsal del Estómago hacia la Hemiconcha superior
Indicaciones: Úlcera de duodeno, dolencias vegetativas del estómago, como aerofagia.

Intestino delgado (yeyuno, íleo)

Situación: tras el Duodeno, en la zona central de la Hemiconcha
superior. Cuando hay una patología ocupa la mayor parte de este ámbito de la concha.
Indicaciones: punto analgésico, enteritis, problemas digestivos inespecíficos.

Apéndice

Situación: en el centro de la Hemiconcha superior, entre el Duodeno y el Colon.
Indicaciones: apendicitis, analgesia –sobre todo en caso de cicatrices postquirúrgicas dolorosas.

Apéndice I a III

Situación: en la escafa:

Apéndice I: zona de la mano; Apéndice II, zona del codo; Apéndice III, musculatura cervical.

Indicaciones: apendicitis, analgesia

Nota: Nogier dice: "La geometría de la oreja nos permite una enorme cantidad de posibles combinaciones. Hay que conocer el principio para entender esto bien."

Los puntos Apéndice I a III son primeramente puntos funcionales complementarios del punto orgánico Apéndice IV. Hay que servirse de ellos solo cuando se haga necesario su tratamiento para aliviar fuertes dolores.

Cuando estos puntos son indicados sin relación orgánica
(ver cap. 3.2 El segmento y la geometría de la oreja"), ayudan en general a estabilizar las defensas y las hiperreacciones del organismo a los estímulos externos.

Situación: el Área del Colon se encuentra en la base de la concha, junto a la raíz del hélix, en la hemiconcha superior.

En caso de problemas más serios en este ámbito la zona de tratamiento puede llegar a ocupar toda la superficie de la base de la hemiconcha superior.

Indicaciones: dispepsia, estreñimiento, diarrea, todas las formas de colitis, meteorismo, dolencias del tracto digestivo relacionados con problemas vegetativos, problemas cutáneos. También ayuda a mejorar las defensas en el sentido más amplio. Nos sirve para entender esta relación el hecho de que el punto Omega I (ver puntos psicovegetativos) se encuentre en el área del Colon.

Recto

Situación: área en la intersección del hélix y la raíz del antihélix, bajo el borde del ala del hélix.

Indicaciones: hemorroides, divertículos, hemorragias, problemas cutáneos en la región anal.

Nota: Aquí también se encuentra el punto de mando del sistema vegetativo. Según Nogier éste tiene efectos secundarios sobre la garganta, el intestino y la psique. Según Krack está aquí el punto Hemorroidal o Anal (466).

6.3.2 Órganos metabólicos y excretores

Órganos excretores

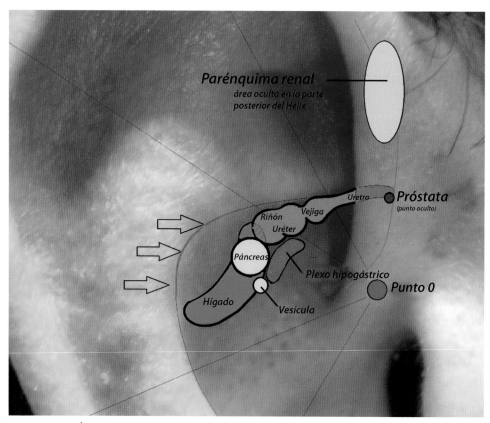

Imagen 47: Órganos metabólicos y excretores - Hígado, tracto urogenital.

Los órganos metabólicos y excretores se proyectan en la base de la hemiconcha superior, a lo largo de la raíz inferior del antihélix. Sus puntos de regulación nerviosa y endocrina se encuentran en la curvatura del antemuro.

Las proyecciones respetan la lateralidad corporal, o sea que encontramos el área del Hígado en su mayor parte en la oreja derecha, y la parte endocrina del Páncreas, así como el Bazo, en la oreja izquierda. La función exocrina del Páncreas se proyecta sin embargo en la oreja derecha, en el área del Hígado. (Ilus.101).

Hígado (punto orgánico)

Situación: el área del parénquima hepático se encuentra en la base de la hemi-concha superior de la oreja derecha. Esta zona ocupa aproximadamente la superficie comprendida entre la D4 y la D10. En caso de patologías manifiestas esta región puede extenderse por todo el ancho de la hemiconcha superior. Como corresponde a la ubicación anatómica del hígado, una parte pequeña del hígado se encuentra también en la oreja izquierda. Aunque por lo general se puede obviar.

Indicaciones: Patologías hepáticas y las consecuencias de trastornos metabólicos del hígado.

Hígado I y II

Situación: estos puntos se encuentran en el borde del hélix, arriba y abajo del tu-bérculo de Darwin.

Indicaciones: Patologías hepáticas y las consecuencias de trastornos metabólicos del hígado.

Nota: se trata de dos puntos de regulación, y como tales forman parte funcional de las interacciones hepáticas. En la proyección china todos los puntos del borde del hélix tienen, además de su ordenación específica, una influencia sobre las interacciones he-páticas (por ejemplo en caso de enfermedades cutáneas el hígado juega un importante papel).

Vesícula biliar

Situación: Este punto se encuentra en el centro de la hemiconcha superior.
Es equidistante al borde del antihélix y de la raíz del hélix. Esta situación la tienen todos los puntos que delatan irritaciones espásticas del vientre.
Como corresponde a su efecto sobre la región reciben la denominación de plexo hipogástrico.

Indicaciones: irritaciones espásticas e inflamatorias de hígado y vesícula biliar. No sólo se proyecta en la oreja derecha.

Páncreas

Situación: el área de la glándula pancreática endocrina se encuentra en la hemicon-cha superior de la oreja izquierda, limitando a nivel dorsal con la zona del riñón.

Indicaciones: Trastornos metabólicos, insuficiencia pancreática, diabetes mellitus, irritaciones espásticas e inflamatorias del páncreas, problemas cutáneos, enfermedades hematológicas y problemas del tracto digestivo.

Nota: en la oreja derecha se proyecta fundamentalmente la función exocrina del páncreas. (páncreas como glándula digestiva) y en la oreja izquierda la endocrina (páncreas como órgano endocrino).La oreja izquierda es la dominante a la hora de tratar trastornos funcionales. En la oreja derecha el punto se encuentra más en la curvatura del antihélix, debajo de la zona comprendida entre D10 y D12 (ver columna vertebral).

Plexo hipogástrico
Situación: en el centro de la hemiconcha superior, equidistante entre el antihélix y la raíz del hélix.

Indicaciones: calambres en tractos urogenital y digestivo, hiperreacciones en región del vientre. ¡Atención!: en caso de abdomen agudo hay que llamar siempre a urgencias.

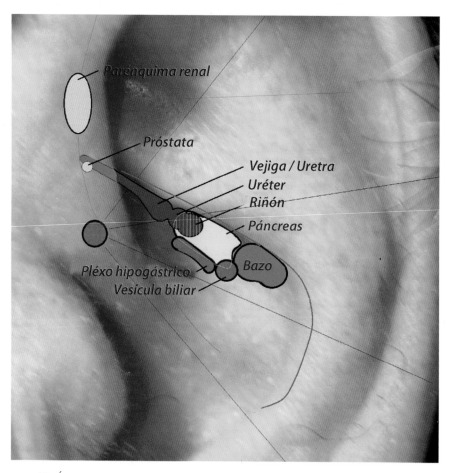

Imagen 48: Órganos metabólicos y excretores - Páncreas; Bazo; T. Urogenital.

Riñón (parénquima renal)

Situación: en la cara interior del hélix ascendente, a la altura de la fosa triangular.

Indicaciones: trastornos del parénquima renal.
Nota: Nogier la define como Zona del parénquima renal. Las interacciones renales proyectadas en la concha se entienden como efectos funcionales en riñones y suprarrenales. (Lange).

Uréter

Situación: en la hemiconcha superior en el área de Riñón/Vejiga.

Indicaciones: Patologías del uréter
Nota: al igual que la vejiga, el uréter tiene origen endodérmico. Ocupa una zona reducida en la concha, entre el Riñón (función) y la Vejiga.
En caso de trastornos en este ámbito el terapeuta deberá buscar y tratar el punto más crítico entre Riñón y Vejiga.

Vejiga/Riñón

Situación: en la parte de arriba de la base de la hemiconcha superior, limítrofe con el antihélix a la altura de D11 a L3.

Indicaciones: todas las patologías funcionales del tracto urogenital y las suprarrenales, así como problemas articulares, trastornos de sueño, neurastenia, depresión, migraña, problemas menstruales, dolencias del oído, mareo, hipertensión, resfriados, miedo, etc.

Nota: la importancia de la zona de la Vejiga va mucho más allá de la mera función de la vejiga como órgano. En algunas somatotopías se encuentra aquí la representación del riñón (por ejemplo Riñón 95 según König/Wancura, debido al efecto de la región sobre las funciones renales). Nogier ya señaló que en el desarrollo embrional el riñón tiene origen mesodérmico y su proyección en la concha (capa endodérmica del blastodermo) sería incorrecta. La proyección renal descrita arriba (interior del borde del hélix, en la zona del hélix ascendente, entre la raíz superior e inferior del antihélix, se refiere al órgano y en este sentido es correcta. Aunque la función renal como tal la

11 endodermo = capa interna. La zona reflexológica para los órganos
o sistemas orgánicos endodérmicos, es la concha.
12 Mesodermo = capa media. La zona reflexológica para los órganos
o sistemas orgánicos mesodérmicos es, entre otros, el hélix ascendente.
13 Nogier, Introducción práctica a la Auriculorerapia, Maisonneuve 1978

encontramos en el área de la vejiga, que por hacer honor a la verdad denominaremos Área del Riñón y la Vejiga.

La eficacia de los puntos de la zona de la vejiga se ha demostrado en el tratamiento de patologías renales. El tratamiento de esta zona tiene, a mi modo de ver, un efecto en el conjunto de la función renal y suprarrenal. Lange siempre remarcó que las patologías orgánicas no se proyectan únicamente a nivel sintomático en el órgano en cuestión, sino que en base a sus interacciones causales pueden reflejarse en diferentes puntos de la oreja.

Uretra

Situación: pequeña zona en la hemiconcha superior, entre Vejiga y Próstrata.

Indicaciones: inflamaciones y debilidad del tracto urogenital, edemas renales, vejiga irritable, cistitis, incontinencia, etc; ver Próstata.

Nota: las transiciones de Vejiga a Uretra y a Próstata son fluidas. En caso de dolencias en este ámbito el terapeuta buscará el punto más afectado en esta área.

Próstata

Situación: en el ángulo formado por la raíz inferior del antihélix y la raíz ascendente del hélix, bajo el ala del hélix.

Indicaciones: prostatitis, trastornos urogenitales, incontinencia, problemas psicosomáticos que afectan a la potencia.

6.4 Extremidades superiores e inferiores

Las extremidades inferiores (cadera, piernas, pies) se proyectan en el inicio de ambas raíces del antihélix y en la fosa triangular. Las extremidades superiores (hombros, brazos, manos), la caja torácica y el cinturón escapular tienen su proyección en la escafa. En un principio, Nogier no llevó a cabo aquí muchas diferenciaciones. Para las extremidades inferiores utilizaba el punto de la Rodilla, el de la Ciática y el Punto Maestro de las Extremidades Inferiores (rama ascendente de la raíz del hélix). Para las extremidades superiores, los puntos maestros del hombro y las extremidades superiores.

En la actualidad esta región está mucho más diferenciada. Dedos del pie, talón, rodilla, tobillo, cadera, dedos de la mano, muñeca, codo, hombro, articulación del hombro y clavícula están definidos y forman parte de la somatotopía moderna de la oreja.

No deja de resultar extraño que estos órganos o sistemas orgánicos aparezcan en la mayoría de los tratados sobre auriculoterapia exclusivamente como puntos. Aunque por nuestra experiencia podemos señalar que únicamente el trastorno o patología aparece proyectado como punto, ya que la dolencia no es idéntica con el órgano. No tiene que formar parte de él, por lo que no se le puede adjudicar un lugar claro y preestablecido. De hecho, en el área en el que según la somatotopía se proyecta un órgano, podemos encontrar varios puntos, dependiendo de las dimensiones de la patología. Hombros, brazos, piernas, cadera, etc., conforman sistemas de gran superficie, que proyectamos como áreas en sus interacciones funcionales. Por eso los trastornos en estos sistemas pueden proyectarse en las áreas correspondientes en uno o varios puntos. De ahí que las proyecciones puedan cambiar continuamente.

A ello se suma que el cuerpo no se proyecta en la oreja proporcionalmente a su anatomía. Las extremidades, en especial las manos y los pies, tienen con frecuencia una proyección desproporcionadamente grande.

El gran número de receptores y el área a representar de las extremidades puede que produzcan este fenómeno. Otro problema es también que europeos y chinos tienen una concepción distinta sobre todo de la proyección del brazo, la mano y la pierna. En un primer momento esto suele producir una cierta desazón, ya que por lógica los trastornos de los sistemas orgánicos deberían proyectarse siempre en los mismos puntos de la oreja. La causa de este fenómeno es la diferente percepción de los órganos en las diferentes culturas. Mientras que en China los órganos son considerados en sus interacciones funcionales, por ejemplo la rodilla como interacción de tendones, músculos y ligamentos, la escuela europea ve la rodilla únicamente como articulación, sin más. La consecuencia de ello es que la escuela china proyecta la rodilla y la totalidad de la pierna en la raíz superior del antihélix a nivel muscular, mientras que los occidentales proyectamos la pierna y la rodilla en la fosa triangular. Para el terapeuta es ventajoso aceptar ambas proyecciones y en caso de problemas en las rodillas buscar puntos en ambas partes. La consecuencia de todas estas vicisitudes es que no hay en la oreja una serie de puntos fijos para un determinado órgano que se pueden encontrar siempre en el mismo lugar. La ventaja es que conocemos una serie de áreas en las que se proyectarán los trastornos orgánicos, y que podremos tratar cuando encontremos los puntos activos.

6.4.1 Extremidades superiores

La escafa en su conjunto es el área de proyección de las extremidades superiores. Es la zona vertical que comienza aprox. a la altura de la C5 (musculatura del hombro, aunque no debemos olvidar que las transiciones son fluidas). Por un lado tenemos la parte muscular de la columna en el antihélix y por la otra el canal vegetativo en la curvatura interna del hélix. Al tratarse de una región bastante estrecha podemos imaginarnos los problemas de proyección que ello conlleva. Para complicar aún más la cosa: aquí no sólo se proyectan el hombro, el brazo y la mano, sino también, como ya hemos descrito, entre la D1 y la D12 la totalidad de la caja torácica, con las costillas y el esternón. Aunque esta circunstancia no nos debería preocupar, ya que como sólo se proyectan los trastornos y dolencias, no será difícil identificar los puntos agudos.

Hombro

Situación: la articulación del hombro la encontramos, como cabría esperar, aproximadamente a la altura de la C7, en el centro de la escafa. El hombro como entidad funcional (músculos, tendones, ligamentos y articulación) forma un área, que comienza más o menos a la altura de la C5 y termina en la D12.
Indicaciones: inflamaciones y problemas dolorosos de movilidad de los hombros, en especial de músculos, tendones y ligamentos.

Escápula

Situación: área entre D2 y D3, muy cerca del antihélix.
Indicaciones: dolores y bloqueos escapulares

Clavícula

Situación: en la escafa, a la altura de la proyección de la C7, cerca del canal vegetativo.
Indicaciones: dolores y problemas de la clavícula y de la articulación esternoclavicular.
Nota: todo el cinturón escapular, desde la escápula (a la altura de la D2), pasando por la articulación del hombro, hasta la clavícula (ambas a la altura de la C7) se proyecta como área horizontal a la escafa, desde el antihélix al canal vegetativo. En el primer tercio, junto al antihélix, encontramos la escápula, en el centro los hombros, y junto al canal vegetativo la clavícula.

Codo

Situación: en la escafa, a medio camino entre el hombro y la muñeca.
Indicaciones: dolores y problemas del codo.
Nota: En caso de trastornos comunes como el brazo de tenista por lo general no encontramos este punto sino, dependiendo de la génesis del problema, más arriba o más abajo del punto codo.

Muñeca

Situación: se proyecta en la región craneal de la escafa, aproximadamente a la altura del punto de Darwin.
Indicaciones: dolores e inflamaciones de la muñeca.

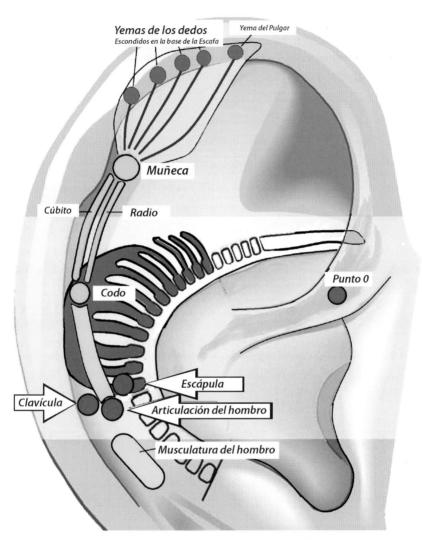

Imagen 49: Extremidades superiores

Brazo y antebrazo

Entre los puntos "Hombro" y "Codo" se proyecta, como es lógico, el brazo, mientras que entre el "Codo" y la "Muñeca", tenemos el Antebrazo.

Dedos

Situación: los problemas de los dedos se proyectan en una zona situada en la parte craneal de la escafa, que comienza aprox. a la altura del tubérculo de Darwin. La muñeca comienza más o menos a la altura del Darwin. Las falanges y articulaciones de los dedos aparecen reflejados en la segunda mitad de la raíz superior del antihélix. Debajo del ala del hélix se proyectan únicamente las puntas de los dedos. Las manos y los pulgares los encontramos en la raíz superior del antihélix. el dedo meñique en el hélix.

La falange del pulgar se encuentra medial en la raíz superior del antihélix.
Indicaciones: inflamación y dolor en los dedos (traumas, lesiones), problemas cutáneos, etc.

6.4.2 Extremidades inferiores

Para Nogier la proyección de las extremidades inferiores se encuentra en la fosa triangular.
El área de la cadera se extiende más allá de la punta de la fosa triangular, donde comienzan ambas raíces del antihélix.
La pierna se proyecta desde aquí craneal hasta el borde del hélix. Cadera, rodilla y tobillo forman un eje que atraviesa la fosa verticalmente. El pie se refleja paralelamente al hélix. El talón está cerca del antihélix, a la altura del sacro y los dedos del pie están ocultos por el ala del hélix, en el borde craneal de la fosa triangular. Desde la perspectiva china la pierna se proyecta exclusivamente en la cruz superior del antihélix, y finaliza con el "Talón" en el punto de intersección de la raíz del antihélix con el hélix. Para los chinos no hay una proyección de la pierna en la fosa triangular, aunque la proyección china y europea de la cadera son muy similares. Sin embargo, los chinos sólo tienen un punto de regulación para todos los dedos del pie, el 46, en la intersección de la raíz superior del antihélix con el hélix.

Punto maestro de las extremidades inferiores según Nogier
Situación: en la raíz ascendente del hélix, muy cerca del punto 0.
Nota: este punto maestro influye en la sensibilidad y la motricidad de las extremidades inferiores.

Cadera
Situación: sobre el ángulo de las raíces superior e inferior del antihélix se extiende el área de la cadera, en la que se refleja toda la región pélvica. Esta va horizontalmente desde el antihélix, a la altura de la transición de la columna dorsal a la lumbar, hasta el comienzo de la escafa. Lange llamó a esta zona "Cava pélvica".
Nota: Todas las proyecciones relacionadas con la cadera aparecen en esta área siguiendo la lógica anatómica corporal. La articulación ileosacral también se proyecta en la oreja en la inmediatez de la columna. La cadera la encontramos de acuerdo con su

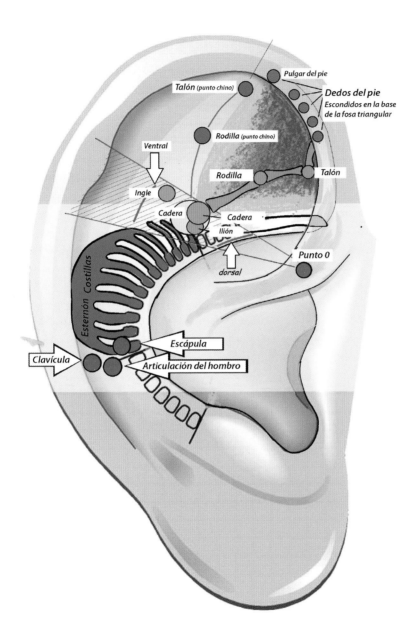

ubicación anató-
mica en esta
área.

Aquí encontra-
mos todos los
puntos de la pel-
vis, incluyendo
el pubis, aunque
también todas
las demás es-
tructuras como
músculos, tendo-
nes y ligamentos.
No se da una re-
presentación di-
ferenciada de los
puntos, ya que
cualquier tras-
torno se proyec-
tará en el lugar
correspondiente
del área de la ca-
dera.

Imagen 50: Extremidades inferiores

Nervio ciático

Situación: en el antihélix inferior a la altura de la L3, de camino a la fosa triangular.

Indicaciones: problemas de ciática, dolores lumbares

Nota: por lo general no es suficiente con acupunturar el punto Ciática. Cuando los dolores son muy fuertes debería tratarse también la parte posterior de la oreja.

Muslo, Tibia, Pantorrilla

Situación: la pierna se proyecta desde el área de la cadera hacia el borde del hélix. Cadera, rodilla y tobillo forman un eje que transcurre aproximadamente por el centro de la fosa triangular. De ahí que encontremos el Muslo en la fosa y en la raíz superior del antihélix, entre Cadera y Rodilla. La Tibia se proyecta más bien en la fosa, entre Rodilla y Talón. La pantorrilla como estructura muscular la encontramos más bien en la raíz superior del antihélix.

Indicaciones: calambres, dolor por lesiones (traumas, fracturas, etc.), limitación de la movilidad.

Rodilla

Situación: la rodilla se proyecta en dos lugares: Rodilla I como proyección de la articulación en el centro de la fosa triangular, un poco más cerca de la cruz superior del antihélix.

Rodilla II – aquí tenemos la "Rodilla" como función global, y se encuentra medial en la raíz superior del antihélix.

Indicaciones: El punto "Rodilla I" hay que tratarlo en caso de traumas agudos, cambios locales de la estructura ósea, etc. El punto "Rodilla II" en caso de trastornos funcionales de la articulación.

Nota: En caso de problemas de la rodilla hay que examinar ambas áreas, y si es necesario, incluirlas en el tratamiento.

Dedos del pie

Situación: Al igual que ocurre con los dedos de la mano, los del pie también cuentan con zona propia. Ésta se encuentra bajo el ala del hélix, en la base de la fosa triangular y se prolonga paralelamente al ala del hélix hasta casi la cruz superior del antihélix. El dedo gordo está proyectado en la parte medial de la raíz superior del antihélix. y el dedo pequeño hacia el lado de la raíz inferior del antihélix. Entre ellos se encuentran los demás dedos.

Indicaciones: Dolores y patologías de los dedos y falanges.

Nota: desde la perspectiva china, se encuentra un "Punto (funcional) de los dedos del pie" en la cruz superior del antihélix, junto al ala del hélix (Dedos del pie [46]), que probablemente sea idéntico con nuestra representación del dedo gordo.

Talón

Situación: dependiendo de las diferentes concepciones somatotópicas aquí también encontramos dos regiones en las que se puede proyectar el talón. El aparato óseo del talón se forma en la fosa triangular, craneal y aproximadamente en el ángulo que forma la cruz inferior con el hélix.

La función "Talón", como órgano con músculos, tendones, ligamentos y articulación está en el final craneal de la cruz superior del antihélix, cerca del ala del hélix.

Indicaciones: Dolores y problemas en la zona del talón.

Nota: Por lo general, encontraremos los tendones, músculos, etc. del talón directamente en la raíz superior del antihélix. En caso de problemas del talón, lo normal será aprovechar ambos niveles de proyección.

6.5 El sistema rítmico

6.5.1 Corazón/Tensión arterial

Punto del Corazón

Situación: en el trago, en la mitad craneal, cerca del borde del trago.

Indicaciones: Regula la tensión y compensa las arritmias cardiacas.

Nota: Según Lange no es tan efectivo. El punto no se usa mucho, lo que podría deberse a su situación. Uno de los principios de la auriculoterapia es colocar el menor número posible de agujas, y tantas como sean necesarias. Este autocontrol del terapeuta hace que los puntos importantes sean empleados con frecuencia, y los que han demostrado menos su eficacia sean utilizados apenas o nada. Además, una de las razones de que pocas veces se den los puntos del trago es que al servirnos de la estrategia de trabajo esta área en el mejor de los casos la alcanzaremos a través de las líneas de correspondencia, y por tanto no estará tanto en el foco del tratamiento como las zonas de la concha, el antihélix, la escafa y el ala del hélix.

Punto antiestrés o Zona análoga de valium

Situación: en el borde del trago, caudal, hacia la transición con la incisura intertrágica.

Indicaciones: problemas circulatorios, hipertonía, trastornos nerviosos (insomnio), tensión excesiva, etc.

Nota: el tratamiento de esta área suele tener un efecto bastante relajante y calmante. Por eso no es de extrañar que los diferentes autores hagan responsables a diferentes causas de los estados nerviosos. De ahí que encontremos denominaciones de puntos tales como Punto Antihipertonía, Punto Análogo de Valium, Punto Nicotina, Punto de la Epífisis, Punto Fosfato, etc.

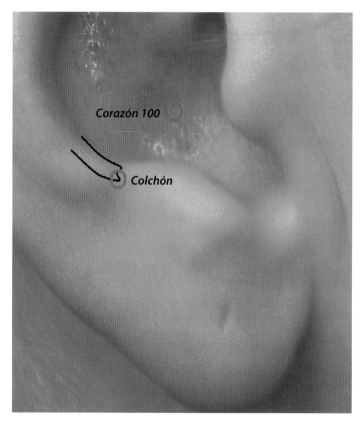

Imagen 51: Corazón-Colchón

Punto Hipertensión (punto chino 59)

Situación: en la intersección de la raíz superior del antihélix y el ala del hélix en la fosa Fosa triangular

Indicaciones: hipertonía

Nota: Este punto es muy efectivo. Baja la tensión y tiene un efecto relajante.

Cadera o Shen men (55)

Situación: en la intersección de ambas raíces del antihélix, en el centro del área de la cadera.

Indicaciones: taquicardia, arritmias, excitación, insomnio, histeria; el tratamiento de este punto tiene también un efecto calmante del dolor.

Nota: la denominación de Shen men o "Puerta divina" viene de la medicina china y se ajusta a la nomenclatura de König/Wancura. Pero en realidad se trata de un punto de la cadera, y su efecto relajante y calmante se debe a la liberación de tensiones en el cinturón pélvico. Una vez quede clara esta conexión no vemos necesario cambiar el nombre del punto.

Corazón (Punto chino100)

Situación: hay que buscar este punto en una zona situada en el centro de la hemi-concha inferior.

Indicaciones: arritmias, hiper e hipotonía de origen psicosomático, así como colapso, shock, trastornos del sueño, miedo, depresiones, etc. El estímulo de este punto fortalece y equilibra al paciente.

Nota: el ámbito funcional Corazón100 procede de la nomenclatura china de König/Wancura. La zona tiene poco que ver con el músculo cardiaco en el sentido orgánico. Su efecto terapéutico se correspondería más bien con el Meridiano del Pericardio de la acupuntura china. Lange escribe al respecto Nota 14: "La zona 100 se corresponde más o menos con el plexo cardiaco de Nogier. Es equiparable con el punto de Maravilla. Está indicada en todos los casos de trastornos cardiacos vegetativos con sensaciones de latidos cardiacos y pertenece, por tanto, a las áreas de compensación psicosomática." Nogier califica esta zona también como Zona del miedo.

Punto de mando de la transmisión de los estímulos cardiacos

Situación: Encontramos este punto cerca del borde del conducto auditivo.

Indicaciones: arritmias cardiacas.

Nota: ¡Cuidado! Esta zona es muy sensible al dolor, y los estímulos tienen un efecto muy fuerte. ¡Riesgo de colapso! Se usa poco.

Músculo cardiaco

Situación: en la escafa, en el área de la caja torácica, entre la D5 y la D8.

Indicación: Debilidad cardiaca.

Nota: Un punto en esta área será un punto puramente orgánico (según Krack el "Punto de mando de la fuerza muscular"). Prácticamente nunca se colocará una aguja única en este punto. Hay, como hemos visto, algunas zonas, en las que se puede influir mejor en la función circulatoria. ¡Cuidado! No aplicar en caso de ataques de angina de pecho o infarto de miocardio, ya que podría producirse un colapso.

6.5.2 Respiración

Nariz
Situación: la nariz se proyecta en el lóbulo, muy cerca de la cara, a medio camino entre el Punto Omega Principal y el Punto Antiagresión.
Indicaciones: Junto con el Punto Estornudo es muy efectivo en afecciones de la mucosa, desde obstrucciones nasales a resfriados con mucha mucosidad.

Estornudo
Situación: medial, a la altura del campo del trigémino, en el borde del lóbulo.
Indicaciones: alergias, sinusitis, estornudos incesantes, etc.

Nota: Más efectivo en combinación con "Nariz

Laringe/Faringe
Situación: cara interna del trago, en la mitad craneal
Indicaciones: patologías de laringe y faringe, sinusitis, edemas de la úvula, amigdalitis.

Nota: la región situada en la cara interna del trago es de regulación funcional. Allí sólo se puede actuar a este nivel. Los órganos laringe y faringe están al principio del tracto digestivo.

Nariz interna
Situación: Cara interna del trago, junto al conducto auditivo
Indicaciones: Rinitis, sinusitis, otros problemas de la mucosa.

Nota: En caso de alergia con rinitis ayuda masajear con una crema iónica (la del Dr. Helmbold).

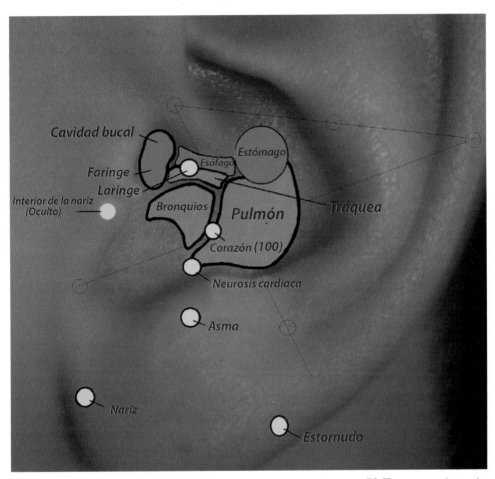

Imagen 52: Tracto respiratorio.

Asma
Situación: Antitrago, entre Parótidas y Sol.
Indicaciones: Seda, relaja y alivia la tos.
Nota: En el tratamiento del asma hay que conseguir relajar al paciente (ver también "Triángulo pulmonar" y "Plexo cardiaco").

Pulmón
Situación: gran área en el centro de la hemiconcha inferior.
Indicaciones: patologías de los órganos respiratorios, enfermedades cutáneas, terapia contra el tabaco.

Nota: Lange considera que el Área del pulmón se extiende caudalmente entre el punto Corazón100 (también Plexo cardiaco) y la raíz del hélix, y que en casos agudos se prolonga hacia el antihélix.

Bronquios
Situación: entre la garganta, el conducto auditivo y el área del Pulmón.
Indicaciones: enfermedades bronquiales.

Traquea
Situación: Área que transcurre paralelamente al Esófago, entre el Pulmón y la Garganta.
Indicaciones: inflamaciones de la traquea.

6.6 Cabeza y sistema nervioso

6.6.1 Cabeza

Las proyecciones de los órganos de la cabeza las encontramos en la región del lóbulo, limitadas por el antitrago y el surco postantitrágico. El principio, válido en el resto de la oreja, del hombre boca arriba, no se mantiene en esta región.
El cráneo se proyecta en la región del antitrago, iniciándose en el surco postantitrágico. En el tercio (posterior) que sirve de prolongación a las primeras cervicales encontramos el hueso occipital. En el tercio medio, los huesos parietales y temporales. En el tercio frontal se proyectan los huesos frontales. En la transición del lóbulo con la cara, caudalmente al hueso frontal se proyecta la "Nariz", de modo que la cabeza, al contrario de lo que ocurre con las demás proyecciones del cuerpo en la oreja, se refleja boca arriba, con el perfil dirigido hacia la cara.

Colchón
Situación: en el surco postantitrágico, sobre el atlas. La aguja debe colocarse en sentido craneal en el área de la columna vertebral.

Indicaciones: dolor en general, migraña, enfermedades cutáneas, asma bronquial, neurastenia, hipotonía, tendencia al colapso, vértigos, etc. Actúa como antiinflamatorio y compensa la tensión arterial.

Nota: punto muy usado en auriculoterapia. Es uno de los puntos básicos de la auriculoterapia estratégica. Lo usamos para evitar que el paciente tenga bajadas de tensión durante o después de la sesión.
Es el primer punto de la línea sensorial formada por Colchón, Sol y Frente.

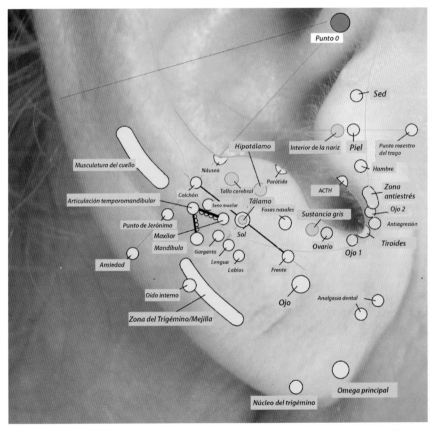

Imagen 53: Cabeza

Punto Náusea
Situación: un poco más arriba del "Colchón", algo craneal en el borde de la transición del antihélix al antitrago, todavía en el canal postantitrágico.

177

Indicaciones: Mareos o problemas relacionados con viajes en mar o similares; no es un punto profiláctico.

Punto de Jerónimo, punto de relajación

Situación: Intersección del canal vegetativo con el surco postantitrágico.
Indicaciones: compensación anímica, problemas para conciliar el sueño, relajación

Nota: en caso de que el paciente no pueda dormir de un tirón habría que acupunturar simultáneamente el punto situado a la misma altura en la cara posterior de la oreja. No debería atravesarse la oreja con la aguja.

Ansiedad

(ver puntos psicotrópicos y de compensación vegetativa)

Punto Antiagresión

(ver puntos psicotrópicos y de compensación vegetativa)

Parótidas

Situación: punta medial en el borde del antitrago
Indicaciones: defensas bajas, inflamaciones, fiebre,

Nota: Según Nogier es idéntico con el punto 27 "Punto maestro del cerebelo", que actúa sobre la psique y el tálamo. El significado chino de este punto es "Puerta contra los venenos".

Sol

Situación: en el centro de la base del antitrago, en la cara anterior del punto Tálamo, situado en la parte posterior del antitrago. Es el punto central de la línea sensorial.
Indicaciones: dolores de cabeza, mareos, trastornos del sueño, enfermedades oculares.

Frente

Situación: en el lóbulo, debajo del punto Sol. También forma parte de la "línea sensorial".
Indicaciones: dolores frontales de cabeza, sinusitis, mareos.
Situación: zona en el centro del tercio delantero del lóbulo, caudal a la zona del miedo.

Analgesia dental

Indicaciones: Dolor de muelas, punto de analgesia en caso de extracciones dentales. Dolores durante y tras extracciones dentales.

Nota: en caso de dolor de muelas, y antes de tratamiento odontológico se puede inyectar procaina en las zonas Analgesia dental, Mandíbula y Shen men. En algunos pacientes se consiguió así una liberación completa del dolor durante el tratamiento, en otros casos el efecto no fue tan claro.

Para la analgesia durante un tratamiento dental debería anteponerse la electroestimulación, pues se puede adaptar mejor a la situación del paciente. El problema es que el terapeuta tiene que estar muy pendiente del estímulo.

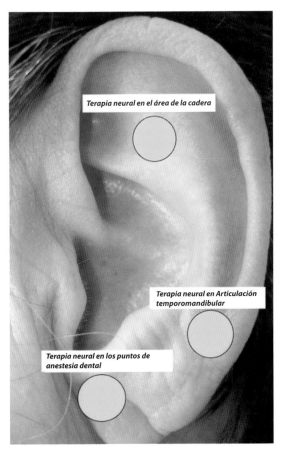

Imagen 54: Analgesia dental. Oreja izquierda

Articulación temporomandibular

Situación: debajo del punto Colchón, en la intersección del surco postantitrágico con el fin del canal vegetativo.

Indicaciones: calambres mandibulares, bruxismo, tensiones nerviosas

Nota: actúa tanto como punto orgánico como para aliviar interacciones.

Nogier definió aquí el punto central Mandíbula con efecto primario sobre los problemas dentales. Algo más arriba se encuentra el Punto de Jerónimo, que también es catalogado como punto de relajación.

Mandíbula superior

Situación: Partiendo del área de la mandíbula tenemos las proyecciones de la mandíbula superior e inferior, caudalmente a la base del antitrago.

La mandíbula superior se proyecta en una línea que transcurre más o menos paralelamente a la base del antitrago.

Indicaciones: amigdalitis, faringitis, estomatitis, dolor de muelas

Nota: en la línea pueden buscarse y tratarse los diferentes dientes.

Mandíbula inferior

Situación:

La línea de la mandíbula inferior se mueve en un ángulo de unos 30° en relación a la de la mandíbula superior.

Indicaciones: Dolor de muelas, estomatitis, neuralgia del trigémino.

Ojos:
Ojo I (Punto principal)

Situación: centro del lóbulo

Indicaciones: enfermedades oculares, dolores de cabeza,

Nota: este punto es idéntico al punto del Ojo de Nogier y el punto 533 de Krack. En este punto - ya se pensaba entonces- se puede tanto aliviar el dolor de cabeza, como mejorar la visión. La mayoría de la gente ignora este hecho. Los pendientes y adornos semejantes colocados en la oreja pueden provocar tanto dolores repentinos de cabeza, como problemas en la vista, mareos, depresiones, etc.

Cuando el paciente se los quita o utiliza el metal correcto (el oro seda y la plata tonifica en la oreja) se regula la situación con mucha rapidez. Nogier muchas veces trataba en caso de dolencias en la retina adicionalmente, entre otros, el punto Ciática (diátesis del ácido úrico), en casos de glaucoma el Punto Maestro de los Genitales (regulaciones endocrinas) y ante problemas del cristalino el Darwin (trastornos circulatorios).

Ojos II y III (puntos de regulación endocrina)

Situación: en la transición caudal del trago al lóbulo, en el borde (lado externo) de la incisura intertrágica. "Ojo II" está en la cara nasal y "Ojo III" en la cara occipital de la incisura, cerca del punto Gonadotropina.

Indicaciones: Patologías oculares (puntos de regulación)
Nota: los puntos son incluidos ante problemas de la vista si se piensa que la causa podría estar en desajustes endocrinos.

Nariz
Situación: La nariz se proyecta en la transición del lóbulo a la cara, medial entre el punto Omega Principal y el punto Antiagresión.
Indicaciones: Junto con el punto "Estornudo" ha mostrado su efectividad ante afecciones de la mucosa, desde la congestión nasal (sequedad de la mucosa nasal) hasta el moqueo.

Nota: Caudal al campo de la nariz, hacia el punto "Sol" se encuentra el área de los senos nasales.
Dependiendo de la virulencia de la afección se expande más o menos hacia el centro del lóbulo.

Estornudo
Situación: Borde del lóbulo, a la altura del campo del trigémino. Indicaciones: Alergias, sinusitis, ataques de estornudo, etc.

Nota: Los puntos "Nariz" y "Estornudo" se encuentran en una línea horizontal, a ambos lados del lóbulo.

Nariz interna
Situación: cara interna del trago, junto al conducto auditivo.
Indicaciones: rinitis, sinusitis, otras afecciones de la mucosa.

Nota: en caso de alergia y otras reacciones excesivas de la mucosa de la nariz, alivia untar esta zona con la pomada iónica del Dr. Helmbold.

Oído interno (9)
Situación: en el lóbulo, en la región de la "Mejilla"
Indicaciones: mareo, sordera, tinitus (acúfenos)

Nota: es muy efectivo en combinación con el punto "Oído externo" y la línea sensorial (ver allí). Aunque también hay otros puntos relacionados con el oído interno, o mejor dicho, con la "función" oído interno. Nogier encuentra en el trago (centro del trago, justo al lado del canto) el punto del Oído (Nervio acústico).
Éste puede combinarse bien con los puntos "Rodilla", Riñón" y otros puntos maestros como por ejemplo "Alergia", "Darwin" o "Síntesis". En casos tenaces de acúfenos es,

según Nogier, sin duda imaginable una combinación con los puntos Riñón, Darwin y Alergia.

Esta combinación se ha confirmado numerosas veces. Se piensa que al menos el 50% de los casos de tinitus tienen su origen en problemas del metabolismo del ácido úrico. En el iris se puede diagnosticar una relación semejante. Por supuesto que hay otras causas que pueden producir un tinitus. Pero de lo que no queda duda es que el tinitus no podrá curarse, si no se reconocen y tratan las correlaciones que provocan esta dolencia.

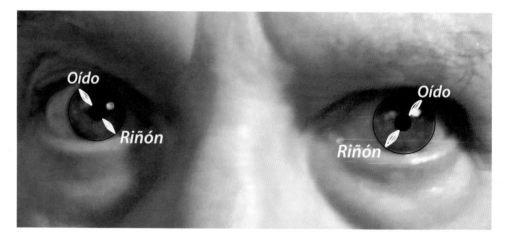

Imagen 55: Marca típica del Tinnitus

Según Krack, en el antitrago (eje medio) y en el lóbulo (más abajo, en línea vertical), están los puntos 541 "Oír" (ver también "Sol") y 542 "Esfera acústica". En una línea ficticia entre ambos puntos pueden tratarse problemas específicos como la sordera o el tinitus. La parte frontal es efectiva para los tonos altos, mientras que la dorsal lo es para los tonos bajos. Bahr encuentra un punto semejante en el surco postantitrágico, entre el Colchón y el Punto de Jerónimo, justo encima de "Articulación Temporomandibular".

Oído externo
Situación: en el borde del trago, en una oquedad situada en la intersección entre el trago y la rama ascendente del hélix, un poco más adelantado que el punto Frustra-

ción. Cuando abrimos la boca podemos palpar aquí una oquedad. Es probablemente idéntico con el punto Triple Calentador 21 de la acupuntura china.

Indicaciones: inflamaciones del pabellón auditivo externo. Desde la perspectiva china habría que añadir tinitus, sordera, migraña, otitis, neuralgia del trigémino, etc.

Nota: Según Nogier, justo en el centro del trago se encuentra el Punto del oído, con efecto directo sobre este órgano aunque este punto apenas se busca.

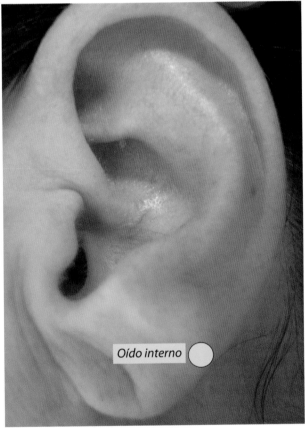

Imagen 56: Oído interno

Mejilla

Situación: ocupa un área alargada del lóbulo, a medio camino con el borde distal de la oreja.

Indicaciones: problemas de la zona de la mejilla, neuralgia del trigémino, parálisis facial, etc.

Nota: coincide claramente con la Zona del Trigémino. El hecho es que en caso de neuralgia del trigémino se muestra afectada toda una zona, que se extiende hasta el punto "Mandíbula" u "Ojo". Por eso puede que muestre varios puntos activos a tratar. Dependiendo de la situación concreta decidiremos qué puntos debemos tratar.

Cavidad bucal, lengua, labios

Situación: en el lóbulo, en la zona de la mandíbula superior e inferior, anterior a la articulación temporomandibular.
Indicaciones: Problemas bucales

Sed (17)

Situación: en la mitad superior del trago

Nota: Punto poco usado. Su situación indica regulación en el sentido de que actúa equilibrando. Se usa en algunas estrategias de tratamiento de adicciones.

Hambre (18)

Situación: en la mitad inferior del trago
Indicaciones: en esta área puede regularse la sensación subjetiva de hambre o sed relacionada con dietas y o problemas pancreáticos.

Nota: Punto poco usado. Su situación indica regulación en el sentido de que actúa equilibrando. Se usa en algunas estrategias de tratamiento de adicciones.

Punto maestro del trago (Nogier)

Situación: en la zona media del trago, proximal a la cara, a unos 2,5 cm. del borde del trago.
Indicaciones: efectos en el tono muscular y el autocontrol. En este sentido parece que también tiene efecto sobre los genitales externos.

Nota: este punto no aparece en otras literaturas. El efecto que le adjudica Nogier no está demostrado. Sin embargo, el trago está considerado como el reflejo del cuerpo calloso. O sea, que todos los trastornos provocados por problemas de coordinación cerebrales se reflejan aquí. A los puntos del trago se les adjudica un efecto regulador y equilibrante. Ello no se alejaría de la interpretación de Nogier.

Punto maestro de la piel (Nogier)

Situación: en una línea horizontal, entre el punto maestro del trago y la punta del trago.
Indicaciones: al parecer actúa sobre el sistema reticular, el equilibrio vago-simpático y por tanto sobre el estado de la piel.

Nota: su efecto no ha podido demostrarse. Sin embargo, con el Punto maestro de la piel, Nogier señaló conexiones entre los problemas de la piel y las cargas psíquicas de toda índole, las relaciones sociales (entorno) y la disposición corporal. Desde la perspectiva china, la piel pertenece al ciclo del Metal y en el sentido más amplio es una imagen de las defensas orgánicas.

Cuello

Situación: Zona en la escafa, entre la C1 y la C7.
Indicaciones: dolores y patologías del cuello externo (músculos, tendones, piel).

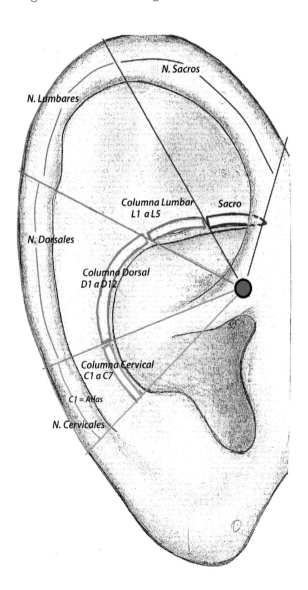

Imagen 57: El sistema nervioso

6.6.2 Sistema nervioso

El sistema nervioso central se proyecta sobre todo en el hélix y en diferentes regiones del lóbulo, sobre todo en la cara posterior del antitrago (cerebro). Las funciones de los órganos sensoriales de la cabeza y las interacciones del cerebro las encontramos, al igual que la estructura craneal, sobre todo en la cara anterior del lóbulo y el antitrago. Las proyecciones del cerebro aparecen en la cara posterior del antitrago y al comienzo de la curvatura del antemuro en la concha. (Ilus.. 109).

Nota: ver también capítulo 2.1.Diagnóstico visual; nervioso

Hélix

Las proyecciones de la médula espinal las encontramos en el hélix. En la cara anterior el nivel sensible y en la cara posterior las correspondencias motoras.

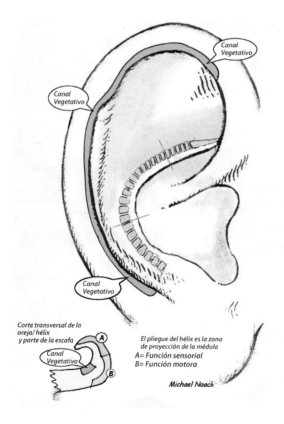

Canal vegetativo

Situación: es una fina banda situada en la corteza interna del hélix, bajo el ala del hélix. Comienza en el lóbulo, craneal al surco postantitrágico, y finaliza a la altura de una línea, que atraviesa el punto 0 y la L5.

Imagen 58: Canal Vegetativo

Aplicaciones: según Lange aquí se encuentra el área de proyección del sistema nervioso vegetativo (canal de la correspondencia vegetativa). A Lange se le debe su incorporación activa en la práctica de la auriculoterapia.

En 1971, llamó la atención en un congreso sobre el fenómeno de que los puntos de la corteza interna del hélix sean mucho más sensibles que los del ala del hélix. La idea de que aquí se encuentren puntos de regulación vegetativa, que en caso de una situación virulenta siempre actuarán sobre todo un segmento (ver línea de trabajo), llevó a la práctica de utilizar los puntos más afectados del canal vegetativo como "indicadores" de un "segmento patológico". Se pudo comprobar que el recorrido de esta zona sensible, que originariamente sólo llegaba hasta el Darwin en realidad alcanza hasta el sacro (intersección entre la raíz inferior del antihélix con el hélix).

Antemuro

Entre el canto del antihélix hacia abajo, hasta la curvatura de la concha, en todo el recorrido del antihélix y la raíz inferior del antihélix encontramos un área estrecha, en la que tenemos las zonas de proyección de regulación endocrina e inervación nerviosa de los órganos internos situados en la concha. En una línea de trabajo (proyección lineal de un segmento vertebral) también encontramos (en caso de afecciones) puntos de regulación de los órganos internos de la concha, que pueden ser incluidos en el tratamiento.

Hay que decir que el antemuro no pertenece a la zona ser endodermal a la que están adscritos los órganos internos. Las proyecciones del antemuro forman parte del blastodermo ectodermal.

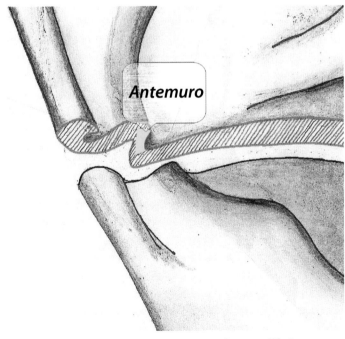

Imagen 59: Antemuro

187

18 Nogier y también Bourdiol la califican como Zona de los centros medulares neurovegetativos" o como "Zona de proyección de los núcleos simpáticos", que entienden comienza caudal en el surco postantitrágico y finaliza craneal, en el hélix, a la altura del tubérculo de Darwin.

19 Surco postantitrágico, con los puntos "Tallo cerebral", "Colchón", "Jerónimo" y "Ansiedad"

Medula oblongada

Situación: área en el borde del ala del hélix, en el tercio inferior del hélix.
Indicaciones: efecto compensador sobre el sistema nervioso periférico

Nota: es lógico pensar que justo en esta zona (columna cervical, musculatura del cuello) se pueda actuar sobre el sistema nervioso periférico, ya que los problemas psicosomáticos agudos (tensión, dolor) suelen manifestarse en la región cervical. En la hemiconcha inferior, en la cara interna del antitrago, cerca del surco postantitrágico 19 y ya en el antemuro, entre la C1 y la C3/C 4 se proyecta la médula oblongada. En esta área también se encuentra un "centro de vómito", una zona que habría que tratar si el paciente siente ganas de vomitar.

Núcleo del trigémino

Situación: en el borde inferior del lóbulo, en la intersección de una línea ficticia que va del punto 0 al borde del lóbulo, pasando por la punta del antitrago.
Indicaciones: Punto de regulación en caso de hiperreacción del sistema nervioso con efecto sobre el mesodermo. Tiene un efecto equilibrante.

Nota: las "puntas de la oreja" como la punta del trago, del antitrago, la punta superior de la oreja en el cuerpo del hélix y la inferior del lóbulo proyectan reacciones nerviosas descontroladas. Su tratamiento tiene por ello un efecto relajante.

Zona del trigémino

Situación: ocupa un espacio alargado en el borde distal de la zona media del lóbulo.
Indicaciones: problemas en zona de la mejilla, neuralgia del trigémino, parálisis facial, etc.

Nota: a pesar de que hay diferentes modelos de proyección – Nogier y Krack, por ejemplo, situaron la zona del trigémino, algo más arriba, en el borde de la oreja- no tiene mucho sentido determinar de manera minuciosa un área para los problemas del trigémino. El hecho es que en caso de neuralgia del trigémino se muestra afectada toda una zona, que se extiende hasta el punto "Mandíbula" u "Ojo". Por eso puede que muestre varios puntos activos a tratar. Por ello dependerá de la situación concreta qué puntos debemos tratar.

Tallo cerebral

Situación: en hemiconcha inferior, en la cara interna del antitrago, cerca del surco postantitrágico, y desde aquí pasa a la región de la médula oblongada.

Indicaciones: Mareos, problemas neurológicos, sobreexcitación de las meninges y trastornos psíquicos, problemas de crecimiento en niños, neurodermitis, prurito, problemas que aumentan ante estados de sobreexcitación, agotamiento o depresión.

Nota: aquí se encuentra el centro de regulación vegetativa. En caso de trastornos funcionales del organismo, ya sean de origen externo (medio ambiente, interacciones psicosomáticas), o interno (focos tóxicos u otros que actúan desde hace tiempo) desde aquí pueden producirse para muchas interacciones patológicas impulsos sanadores adicionales. Debemos tener en cuenta que al tratar esta zona se pueden producir reacciones fuertes, de ahí que haya que tener gran precaución a la hora de tratarla. Nogier califica a este punto de "Punto maestro del occipucio". Según él, éste actúa sobre los trastornos sensibles y motrices del mesodermo.

Según Lange, esta área está contraindicada en caso de esclerosis múltiple, parkinson o esquizofrenia, ya que los efectos son impredecibles, y en semejantes casos hay que actuar con precaución. Los especialistas chinos son de la opinión contraria. Los especialistas en implantes a toda costa hacen oídos sordos a sus palabras, y colocan implantes de manera extensiva en la oreja ante estas enfermedades.

Tálamo

Situación: en la cara interna del antitrago, en la curvatura de la hemiconcha inferior (nos orientaremos con la punta del antitrago). En la cara anterior, medial con respecto a la base del antitrago se encuentra, por así decirlo, como antípoda del punto Sol.

Indicaciones: efecto compensador y regulador. De ahí que se use como punto de analgesia (también es importante en caso de dolores fantasma). También actúa en caso de reumatismo articular, hipertensión e hipotensión, parálisis, ticks nerviosos, etc.

Nota: con el Punto Tálamo se posibilita el acceso a un sistema central de coordinación que está al servicio de las vías aferentes (sensibles) y eferentes (extrapiramidales) del sistema nervioso central. El tálamo es el último tablero de mando antes de la corteza cerebral. De ahí que se le considere "la puerta de la conciencia".

¡No hay que poner agujas en el punto durante el embarazo!

Hipotálamo

Situación: Los problemas relacionados con la función hipotalámica se proyectan en la cara posterior del antitrago, entre los puntos tálamo y tallo cerebral.

Indicaciones: probleVmas circulatorios, trastornos del sueño, trastornos alimenticios, problemas sexuales, sudoración excesiva, etc. Influjo sobre todos los trastornos vegetativos.

Nota: el hipotálamo coordina los procesos de regulación más importantes del organismo

Sustancia gris
Situación: cara interna del antitrago, por debajo del punto Parótidas.
Indicaciones: alivia el dolor, efecto antiinflamatorio y en casos de tensión nerviosa relaja y regula la tensión sanguínea.

Nota: según Lange, este punto está especialmente indicado para todos los dolores que se han "instalado" en el centro del dolor.

6.7 Sistema endocrino y genitales

Los ámbitos de regulación endocrina, desde los centrales a los orgánicos, los encontramos a todos los niveles del organismo. Dependiendo de sus funciones los encontraremos proyectados en diferentes lugares de la oreja, mientras que órganos como el tiroides, el páncreas, la mama, etc. aparecen en el nivel orgánico. La regulación endocrina de los órganos aparece sobre todo en el antemuro, en conexión inmediata con los órganos internos de la concha y la regulación de funciones endocrinas en el área de la hipófisis, o sea en la base y en los bordes de la incisura intertrágica.

Sistema endocrino
Situación: en el centro de la incisura intertrágica, en la base de la concha.
Indicaciones: trastornos en la regulación hormonal en caso de afecciones ginecológicas, enfermedades cutáneas, alergias, asma bronquial, patologías de las vías urinarias, inflamación articular, problemas circulatorios periféricos, etc.

Nota: Nogier lo denominó como Punto de la hipófisis. Según
Krack, en esta zona se encuentra el punto de mando endocrino Y, que serviría para activar la energía hormonal.

Tiroides
Situación: como ya indicamos más arriba, distinguiremos entre el punto orgánico Tiroides y la función tiroidea, donde influiremos en la regulación de esta glándula.

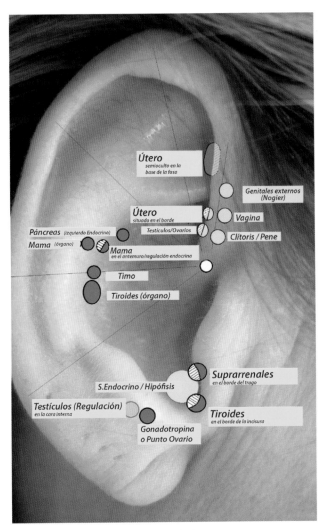

Imagen 60: S. Endocrino y genitales.

El punto del Parénquima tiroideo se proyecta entre la C 5 y la C 7, en la base de la concha, justo en la transición entre antihélix y escafa. Para actuar sobre la función tiroidea podemos trabajar sobre el punto Tiroides, situado en el borde cartilaginoso, en el centro de la incisura intertrágica.

Indicaciones: afecciones tiroideas, enfermedades ginecológicas, problemas cutáneos, etc.

Nota: El punto Tiroides actúa sobre la función tiroidea y es tratado tanto en caso de hipotiroidismo como de hipertiroidismo.

Páncreas

Situación: zona en la oreja derecha, en la base de la concha, entre la D12 y la L2: cabeza del páncreas, función exocrina; y en la oreja izquierda, entre la D10 y la D12: cuerpo del páncreas, función endocrina.

Indicaciones: oreja derecha: Irritaciones espásticas e inflamatorias del páncreas, afecciones cutáneas, enfermedades hematológicas, problemas del tracto digestivo, etc. Oreja izquierda: Cansancio, insuficiencia pancreática, diabetes, etc.

Nota: en la oreja derecha se encuentra esta área en la concha, justo al lado de la curvatura del antihélix, debajo de D12 a L2 (ver Columna vertebral). Allí se proyecta preponderantemente la función exocrina del páncreas (páncreas como glándula digestiva). La oreja derecha es, por tanto, dominante a la hora de tratar semejantes patologías.

En la oreja izquierda, aprox. entre la D10 y la D12 se proyectan los problemas de la función endocrina del páncreas ("punto insulínico" de Bahr).

Suprarrenales
Situación: directamente en el canto del trago, a la altura del Punto análogo de valium.
Indicaciones: infecciones, resfriados, alergias, reumatismos articulares y musculares, agotamiento físico y psíquico acompañado de hipotonía, etc. y otras enfermedades en las que hay que potenciar las defensas naturales del organismo.

Nota: estimula la producción corporal de cortisona y sólo deberían usarse agujas de acero. Es a todas luces idéntico con el punto ACTH, que no debe acupunturarse frontalmentes sobre el trago –tal como indican otros autores- sino en el canto de éste, por debajo de la cumbre del trago. La asignación que da Bahr a este punto en el antemuro, unido directamente con Riñón tiene su lógica. El problema es que en este nivel de la concha el riñón no se proyecta en absoluto como órgano, ya que no tiene origen endodérmico, sino mesodérmico, y como tal se proyecta bajo el ala del hélix, por encima de la raíz inferior del antihélix. El hecho es que el área del Riñón cubre también la vejiga y las vías urinarias. De ahí que sea improbable diferenciar en esta región las suprarrenales como tales.

Genitales
Situación: encima y en un lateral de la raíz ascendente del hélix, sobre el punto 0.
Indicaciones: afecciones de los genitales externos. Punto adicional para problemas funcionales como orquitis, eyaculación precoz, impotencia, retención de orina. Punto adicional en caso de migraña.

Nota: la localización original es un punto übergeordneter con funciones de regulación en la zona de los Genitales. Lo conocemos de las topografías chinas de la oreja de Schrecke/ Wertsch, y también N. Krack había representado allí un punto. Desde la perspectiva francesa (Bourdiol), los genitales externos se proyectan de manera mucho más diferenciada. Así, la vagina y el clítoris (o el pene) se encuentran en un área de la raíz ascendente del hélix, entre el punto 0 y el inicio de la cara. Paralelamente, en la cara interna del hélix ascendente, en la curvatura de la hemiconcha superior tenemos los testículos, ovarios y útero. La práctica enseña que el útero como tal lo alcanzamos en la fosa triangular, justo a la altura de la intersección de la raíz inferior del hélix con el ala del hélix.

Testículos (Punto de regulación)
Situación: cara interna del antitrago, en el área del hipotálamo.
Indicaciones: impotencia, orquitis, etc.
Nota: poco usado. El punto Gonadotropina situado en el lóbulo es más efectivo a este nivel de regulación.

Utero II

Situación: Área en el tercio superior de la fosa triangular, bajo el borde del hélix, cerca de la raíz superior del antihélix.

Indicaciones: dismenorrea, hemorragias funcionales del útero, espermatorrea, leucorrea, impotencia, migraña, etc.

Nota: puede aplicarse para facilitar el parto. En este caso se trata del punto 58 de König/Wancura. También recibe el nombre de "Punto de gestágeno", en relación a afecciones hormonales y del climaterio.

Ovario, punto gonadotropina

Situación: en el borde craneal de la incisura intertrágica, en el antitrago.

Indicaciones: disfunciones sexuales, problemas articulares, afecciones cutáneas y migraña que acompaña al climaterio.

Nota: este punto también se usa exitosamente en caso de menorragia o menstruación tardía, así como en metrorragias. Es manifiesta la relación de semejantes problemas con trastornos del sistema endocrino. Por ello debería complementarse el tratamiento con un punto de la zona endocrina. Lange anima a usarlo en caso de neurosis sexuales y problemas menstruales de la mujer. Según Nogier se trata del punto maestro de los genitales e influye también sobre los genitales externos.

Mama

En la oreja hay tres áreas en las que se puede influir a nivel terapéutico sobre el pecho femenino:

1. Punto en el área del Sistema Endocrino, en la Incisura intertrágica (66) en la base de la concha. Actúa a nivel hormonal
2. en el antemuro como punto de regulación nerviosa, a la altura de la D5, con efecto funcional sobre el pecho.
3. En la escafa, en el borde del antihélix a la altura de la D5, en la zona de los músculos y ligamentos, como punto orgánico.
Desde la perspectiva china, la D5 es el lugar en el que se puede actuar adicionalmente sobre la función de la mama.

6.8 Sistema inmunitario

Amígdalas

Situación: Punto en el lóbulo, en zona de mandíbula y garganta
Indicaciones: afecciones de las amígdalas.

Nota: como mucho sirve para completar la terapia. En caso de afecciones en las amígdalas Lange nos aconseja tratar la zona de la boca y el cuello situada en la hemiconcha inferior. De la misma opinión es Nogier, que coloca su punto "Garganta" en el mismo lugar.

Amígdalas I a III (según König/Wancura)

Situación: estos tres puntos se encuentran en el ala del hélix.
Amígdalas I: lateral a la punta de la oreja, en el cuerpo ascendente del hélix, entre los puntos "Alergia" y "Darwin".
Amígdalas II: en la intersección del hélix con una línea horizontal que pasa por el punto y la D1.
Amígalas III: cerca del principio del hélix, un poco más arriba del surco postantitrágico.
Indicaciones: amigdalitis agudoa y crónica

Nota: los puntos Amígdala representan afecciones, provocadas por inflamaciones o infecciones agudas. Ante semejantes situaciones es posible buscarlos y colocar agujas en ellos.

Plexo hipogástrico

Situación: en el medio de la hemiconcha superior encontramos, entre la zona del intestino grueso y el hígado un área estrecha, en la que aparecerán puntos afectados en caso de dolores y calambres relacionados con inflamaciones o estasis del apéndice o la vesícula.

Apéndice I a III

Situación: los puntos se encuentran en la parte superior, media e inferior de la escafa.

Indicaciones: Apendicitis, Analgesia, inflamaciones en general.

Nota: Los puntos Apéndice I–III son por un lado puntos complementarios para el apéndice como órgano, por ejemplo para aliviar fuertes dolores, aunque también son puntos que reaccionan en general ante inflamaciones corporales. Es posible, por tanto, estabilizar con estos puntos las defensas y sedar las reacciones excesivas.
Apéndice I, en la escafa, por encima del Darwin. Un punto muy efectivo para mejorar las defensas en caso de infecciones.

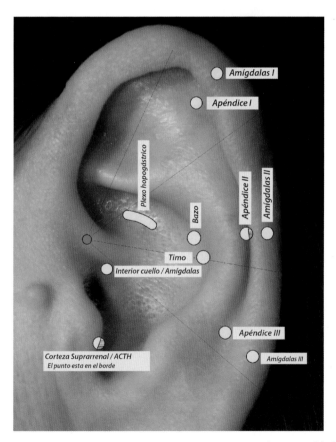

Imagen 61: S. Inmunitario.

Timo
Situación: el timo se proyecta en la concha, cerca de la curvatura al antemuro, entre D3 y D4.

Indicaciones: punto antiinflamatorio, antireumático y estimulante de las defensas.

Suprarrenales
Situación: en canto del trago, debajo de la punta del trago.
Indicaciones: mejora de la producción corporal de insulina y por tanto de las defensas.

Bazo
Situación: el bazo se proyecta en la hemiconcha superior, justo al lado del páncreas, aprox a la altura de la D10.
Indicaciones: punto antiinflamatorio y estimulante de las defensas.

6.9 Puntos psicotrópicos y de compensación vegetativa

6.9.1 Puntos Omega

Todos los puntos relevantes a la hora de aplicar la auriculoterapia actúan tanto a nivel fisiológico como psíquico. Pero los puntos omega actúan de manera especial sobre la disposición anímica, trascendiendo el nivel orgánico. De ahí que podamos calificarlos como puntos que influyen especialmente sobre el componente psíquico de los problemas de salud. Los puntos omega tienen una especial relación con ambos hemisferios cerebrales y ayudan a coordinarlos y compensarlos. Es habitual servirse de ellos a modo complementario cuando ciertos puntos de compensación vegetativa como el Punto Antiagresión no logran el efecto esperado.
Nota: los tres puntos se encuentran en una línea vertical, a aprox. 1,5 cm del inicio de la oreja, que transcurre paralelamente a ésta.

Omega principal
Situación: en el lóbulo, en el último tramo de la línea Omega.
Indicaciones: agresividad, depresión, impaciencia y otros problemas anímicos relacionados por ejemplo con patologías crónicas o traumas difíciles de superar
Nota: el tratamiento de este punto ayuda a regular la situación mental actual de la persona afectada. Ésta se hace más paciente y lleva mejor "su cruz" durante el proceso de su enfermedad.

Omega I

Situación: en la hemiconcha superior, cerca de la curvatura de la raíz del hélix, a la altura del punto 0.

Indicaciones: las dolencias típicas que se hacen aquí perceptibles son las consecuencias vegetativas del conflicto personal con una situación percibida como amenaza y que la persona no es capaz de superar, con el consiguiente miedo latente.

Nota: este punto se encuentra en el área del intestino grueso, y su tratamiento actúa directamente sobre el intestino grueso y tiene consecuencias metabólicas. En este sentido, el Omega I es un punto metabólico especial, con el que podemos influir en la situación vegetativa del paciente, que puede tener problemas digestivos o en el azúcar en la sangre, que la ponen agresivo o impaciente. Las consecuencias son problemas estomacales, cansancio durante el día, cambios en la conducta alimenticia y los consiguientes cambios de conducta (todo molesta, excita, pone agresivo, etc.)

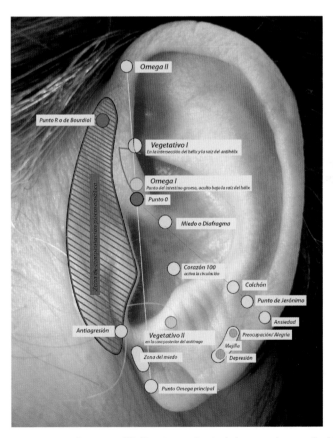

Imagen 62: Puntos psicotrópicos y de regulación vegetativa.

Omega II

Situación: en el borde del hélix ascendente, craneal junto al punto Alergia, en la línea Omega.

Indicaciones: Ira, envidia, agresividad. Aquí también se perciben las consecuencias de nuestro enfrentamiento con el entorno, consecuencias de relaciones sociales insatis-factorias y los conflictos que provoca la discrepancia existente entre nuestros deseos y percepciones y la realidad [20]. Muchas veces no es posible compensar esta discrepancia. Las sobrecargas provocadas por estos conflictos, provocan a la larga tanto enfermeda-des psíquicas como físicas.

20 Lange ve aquí situaciones como rivalidad, unidas a agresión como consecuencia de ambición material, exigencias de espacio, responsabilidad, riqueza, éxito y lo sexo. Con la incapacidad de compensar el fracaso a la hora de alcanzar semejantes cosas.

Nota: La capacidad reactiva del punto tiene que ver con su ubicación estratégica. Se encuentra en el hélix, que desde el punto de vista chino es un reflejo del hígado ("del hígado viene la ira"). Ya hemos descrito otros puntos con efectos similares, como el Antiagresión, Colchón, Jerónimo o el Pumto del Miedo en la raíz del hélix. Aunque ninguno tiene un efecto tan completo como el Omega II.

6.9.2 Puntos de compensación vegetativa

S. Vegetativo

Situación: Este punto se encuentra en la región de las vértebras sacrales, en la raíz inferior del antihélix, en la intersección con el ala del hélix.
Cuando el ala del hélix es muy pronunciada, suele estar cubierto por ésta.

Indicaciones: problemas vegetativos, por ejemplo del tracto digestivo, de los pul-mones y los bronquios (p.e. asma bronquial), y de la circulación, como por ejemplo arritmias, cambios de tensión arterial, taquicardias, etc.
También está indicado en "enfermedades femeninas", como dismenorrea, amenorra, etc.

Nota: el calificativo de: "S. vegetativo I" procede de la nomenclatura china. Aunque no debemos olvidar que en realidad se trata de un punto orgánico en la región sacra.

Llama la atención que al tratar esta zona se produzca una relajación tan profunda más allá de la misma. En caso de problemas hay que buscar y tratar el punto más doloroso en la curvatura interna del hélix (ver también: Shen men).

S. Vegetativo II

Situación: no es fácil de localizar. Se encuentra en la cara interna del trago, muy cerca de la incisura intertrágica, en la zona de proyección del lóbulo frontal.

Indicaciones: calambres, miedo, depresiones, dolor, diferentes formas de agnosia, etc.

Nota: se trata de un punto de regulación, que conduce directamente al lóbulo frontal del cerebro.

Actúa de manera similar al punto "S. Vegetativo I", o sea relajante. Punto exitoso para mejorar estados de miedo, dolor, trastornos de lenguaje y propioceptivos, (Nota de xcs: Ahí no entendí nada). Al paciente le cuesta menos dejarse llevar. No hay que tratar simultáneamente ambos puntos vegetativos. Dependiendo de la génesis de la enfermedad nos decidiremos por uno o por otro.

Antiagresión

Situación: en el lóbulo, en el borde de la incisura intertrágica.

Indicaciones: relajación en caso de enfado, agresividad, depresión, etc.

Nota: se encuentra muy cerca del área de la hipófisis y hay que entenderlo, como todos los puntos de la zona, como un punto de regulación endocrina. Es un punto muy importante contra las adicciones. Hay que colocar la aguja en el cartílago de abajo a arriba.

Zona del miedo

Situación: en la parte inferior del lóbulo (al inicio de la cara), bajo el punto Antiagresión.

Indicaciones: consecuencias de miedos y temores, que se manifiestan como dolor frontal de cabeza, mareos o problemas de percepción.

Nota: poco concreta, con poco aval experiencial. Se trata (presuntamente) en la oreja derecha las consecuencias del miedo o temor, y en la oreja izquierda las consecuencias de la preocupación. Aquí se entremezclan los niveles de regulación (Lóbulo frontal) y orgánico.

En esta zona se proyectan simultáneamente la frente, la analgesia dental, la nariz, etc, así como todos los trastornos psicosomáticos en este nivel de regulación.

Dependiendo de la sintomatología habrá que buscar el punto pertinente.

Miedo II o Diafragma

Situación: en la raíz del hélix, muy cerca del campo del estómago.
Indicaciones: calambres, presión en la parte superior del vientre.

Zona de la pena y la alegría

Situación: en el lóbulo, caudal al Punto de Jerónimo. Tiene un recorrido vertical y caudal en una línea horizontal que pasa por el punto Antiagresión

Indicaciones: en esta zona podemos actuar sobre calambres mandibulares, neuralgia del trigémino o dolores de muelas provocados por depresiones, alegría o pena excesivas, etc., o que empeoran ante esas circunstancias.

Ansiedad

Situación: al final del surco postantitrágico, en el borde de la oreja, aprox. en la intersección con una línea horizontal que atraviesa el lóbulo pasando por el punto Antiagresión.

Indicación: consecuencias de estados de ansiedad. El significado de este punto se hace patente en el tratamiento de adicciones. Aquí podemos regular reacciones excesivas.

Nota: diferentes programas contra adicciones se sirven de este punto. Aquí queda especialmente claro la complejidad de sus efectos.

6.10 Líneas energéticas y de tratamiento

La geometría de la oreja juega un papel importante en el conjunto de las interacciones orgánicas. Estas interacciones se proyectan siempre alineadas, aun cuando no siempre se trata de proyecciones tan complejas como las que se producen en las líneas más prominentes: la línea de trabajo y las de correspondencia. Siempre se trata de proyecciones surgidas espontáneamente con una afección, que reflejan todos los puntos relevantes del problema en su interacción.

Determinadas interacciones reactivas y recurrentes del organismo quedarán perpetuadas en el relieve de la oreja, como por ejemplo el surco del estrés. Estas muestras y signos visibles delatan la situación psicovegetativa y mental del paciente.

Las proyecciones ofrecerán al experto explicaciones adicionales sobre las causas profundas de una determinada dolencia.

Surco postantitrágico

El surco postantitrágico conforma la transición de la escafa al lóbulo, y de la parte occipital de la cabeza a la columna cervical. En una línea que va del punto 0 hasta el borde del hélix, atravesando la concha, se forma al final de la escafa una oquedad perceptible en la mayoría de las personas, que pasa por la transición entre el antitrago y el antihélix al borde de la oreja. En esta muesca (surco postantitrágico) encontramos toda una serie de puntos funcionales muy efectivos.

Cada uno de los puntos de este surco (Naúsea, Colchón, punto de Jerónimo, Ansiedad) tiene complejos efectos psicosomáticos sobre el organismo.

La línea sensorial

Partiendo del Colchón, se extiende una línea energética que atraviesa el lóbulo paralelamente a la base del antitrago. Pasa por el punto Sol y finaliza en el punto Frente. En sentido figurado estos tres puntos representan una mitad cerebral. Se piensa que el tratamiento de esta línea produce una irrigación energética de la cabeza. La línea sensorial se utiliza para tratar todos los problemas energéticos de la cabeza: problemas de la vista, mareos, tinitus, etc.

La línea sensorial puede ofrecer por ejemplo, junto con un segmento afectado de la columna cervical, la estrategia básica de un tratamiento contra los dolores de cabeza cervicogénicos.

Línea de los tonos

Muy cerca de la Línea sensorial, paralelamente a ésta, aunque más abajo, transcurre la Línea de los tonos. En ella pueden tratarse puntos relevantes que se proyectan en caso de afecciones como el tinitus.

El surco del estrés

Las personas que lo tienen suelen ser bastante vulnerables a las situaciones estresantes, y es fácil que sucumban al pánico. Esta sensibilidad excesiva se muestra en un pliegue del lóbulo, el surco del estrés. Éste atraviesa oblicuamente el lóbulo, aprox. desde el punto Antiagresión. Estudios realizados en Norteamérica indican que este surco podría estar relacionado con una disposición a los problemas coronarios.

El surco del estrés no es una línea de tratamiento. Únicamente señala las disposiciones descritas más arriba. Para tratar semejantes interacciones hay que recurrir a la estrategia de trabajo.

Zona de compensación psicosomática

Las interacciones psicosomáticas y sus efectos sobre el organismo se manifiestan en determinados puntos (Nogier los llamó "Puntos maestros"). Estos deben tratarse para reaccionar a nivel terapéutico ante semejantes interacciones. Por desgracia, estas causalidades no se proyectan en puntos fijos, y en todo momento reproducibles, sino únicamente en ciertas áreas que conocemos. El terapeuta deberá buscar en estas áreas su punto patológico. La zona de compensación psicosomática ocupa la totalidad del trago. Comienza craneal en el punto R de Bordiol, muy importante en psicoterapia, y llega hasta el punto Antiagresión. Todos los puntos proyectados en esta área reflejan problemas orgánicos relacionados con disarmonías de ambos hemisferios cerebrales. Semejantes trastornos de lateralidad están presentes en muchos problemas, sobre todo infantiles (como orinarse en la cama a problemas de aprendizaje, etc.).

Desde aquí podemos eliminar bloqueos y apoyar el proceso curativo.

6.11 Áreas de la cara posterior de la oreja

Las proyecciones de la cara posterior de la oreja son las correspondencias motoras de los reflejos (sensibles) del organismo en la cara anterior de la oreja. Esto significa que si ponemos una aguja en la cara posterior de la oreja aumentaremos la efectividad terapéutica de los puntos de la cara anterior.

Mediante el tratamiento adicional de por ejemplo problemas óseos o articulares en la cara posterior (efectos motores) mejora con frecuencia de manera clara el éxito terapéutico.

El hecho de que la cara anterior de la oreja tenga mucha más importancia en la práctica de la auriculoterapia que la cara posterior se debe también a su mayor alcance. El tratamiento de la cara posterior es técnicamente más difícil que el de la cara anterior. Los puntos son más difíciles de dilucidar, y colocar las agujas también resulta más complicado porque la oreja está pegada a la cabeza.

Nota: la cara posterior de la oreja es comparable a la realidad energética de la acupuntura corporal.

Como ya indicamos más arriba, en la cara anterior de la oreja cambian las leyes de la acupuntura clásica. El oro tiene aquí un efecto sedante, y la plana tonificante.

Dado que el relieve trasero de la oreja está menos marcado que el de la cara delantera, separaremos todo el espacio en 3 zonas para una mejor orientación:

Zona 1

Situación: banda pegada a la cabeza

Descripción: en la cara anterior encontramos aquí el antemuro, con las regulaciones

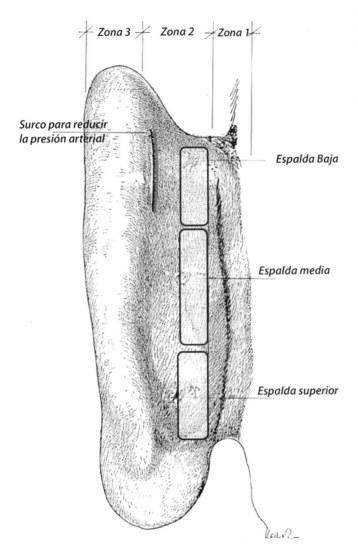

nerviosas y endocrinas de los órganos internos. La inervación de la zona I de la parte trasera de la oreja ayuda a estimular las vías nerviosas motoras de los órganos internos. En el tercio superior de esta zona se encuentra el área de la regulación motora del riñón y la vejiga, en el tercio medio los problemas motores del tracto digestivo, y en el tercio inferior los puntos de regulación del pulmón, así como los reflejos de los puntos de la hipófisis (punto maestro de la Síntesis)

Imagen 63: Áreas de la cara posterior de la oreja

Zona 2

Situación: la región de la oreja que en la parte anterior forma el antihélix y la escafa, conforma en la parte trasera de la oreja la zona 2.

Descripción: en esta zona encontramos una representación casi simétrica de la columna vertebral y las vías nerviosas motoras de los tendones, músculos y ligamentos de los órganos superiores e inferiores. La zona 2 tiene especial importancia práctica, ya que aquí, además de la columna vertebral, también se proyectan las extremidades superiores e inferiores. Así, podemos complementar aquí el tratamiento de problemas articulares. En el tercio superior de la zona, más hacia el borde de la oreja, se proyectan la muñeca y la mano. En un área que llega hasta la punta de la oreja se proyectan las extremidades inferiores. La caja torácica, la cadera y los codos los encontramos en el tercio medio. El cinturón escapular y la musculatura cervical, en el tercio inferior. Las localizaciones de "parte baja de la espalda", "parte media de la espalda" y "parte alta de la espalda" de König/Wancura sirven de orientación, pero no se trata en general de puntos que ayuden a superar el dolor en esa región. Lo que sí encontramos es puntos activos en las áreas correspondientes.

Surco hipertensión

Situación: en el tercio superior de un surco craneocaudal, simétrico al transcurso de la raíz superior del antihélix en la cara anterior, donde se encuentra el punto hipertensión (59), encontramos en caso de hipertonía un punto, en general un vaso, que podemos punzar con una lanceta. Esta minisangría tiene un enorme efecto hipotensor.

Zona 3

Situación: en el borde de la oreja, tenemos una fina banda calificada como zona reflexológica de la médula espinal. A veces se usa con fines terapéuticos.

6.12 Puntos y zonas especiales

El antemuro

Entre el canto del antihélix hacia abajo, hasta la curvatura de la concha, en todo el recorrido del antihélix y la raíz inferior del antihélix, encontramos una zona alargada y estrecha en la que se reflejan las zonas de proyección de regulación endocrina e inervación nerviosa de los órganos internos situados en la concha.

En una línea de trabajo (proyección lineal de un segmento vertebral) se encuentran (en caso de desajustes) también aquí puntos de regulación de los órganos internos que deberán ser incluidos en el tratamiento. Esta zona no pertenece, por cierto, al mesodermo, al que están adscritos los órganos internos. Las proyecciones del antemuro pertenecen al ectodermo.

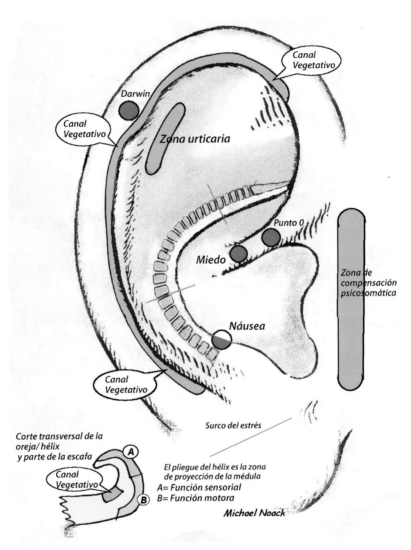

Imagen 64: Puntos y zonas especiales

Canal vegetativo

Situación: el canal vegetativo es una pequeña banda situada en la corteza interna del hélix, debajo del ala del hélix. Comienza en el lóbulo craneal del surco postantitrágico, y finaliza a la altura de una línea, que va del punto 0 a la L5.

Ámbito de aplicación: Según Lange aquí se proyecta el sistema nervioso vegetativo (canal de la correspondencia vegetativa). Su inclusión en la práctica de la auriculoterapia se la debemos a G. Lange.

En 1971, en un congreso del AGTCM e.V. llamó la atención sobre el fenómeno de que los puntos de que la cara posterior del hélix sean mucho más sensibles que los del ala del hélix. La idea de que aquí se encuentren puntos de regulación vegetativa, que en caso de una situación virulenta siempre actuarán sobre todo un segmento (ver línea de trabajo), llevó a la práctica de utilizar los puntos más afectados del canal vegetativo como "indicadores" de un "segmento afectado". Se pudo comprobar que el recorrido de esta zona sensible, que originariamente sólo llegaba hasta el Darwin18 alcanza hasta el sacro (intersección entre la raíz inferior del antihélix con el hélix).

El campo de la urticaria

Situación: una pequeña banda en la escafa, a la altura del tubérculo de Darwin.
Indicaciones: afecciones con el típico cuadro de urticaria, aunque también prurito y todas las afecciones cutáneas, desde neurodermitis a alergia.

Nota: por regla general suelen encontrarse en caso patológico varios puntos en esta área.

Nogier y también Bourdiol la califican como Zona de los centros medulares neurovegetativos, o como zona de proyección de los núcleos simpáticos, que según su opinión comienzan caudalmente y finalizan cranealmente a la altura del tubérculo de darwin, en el hélix.

Obsérvese que en el punto 0 prevalecen las leyes de la acupuntura corporal: el oro tonifica(agotamiento) y la plata seda (relajación).

Ansiedad

Situación: al final del surco postantitrágico, en el borde de la oreja, aprox. en la intersección de una línea horizontal, que atraviesa el lóbulo desde el punto antiagresión.
Indicación: consecuencias de estados de ansiedad. El significado de este punto se hace patente en el tratamiento de adicciones. Aquí podemos regular reacciones excesivas.

Nota: diferentes programas contra adicciones se sirven de este punto. Aquí queda especialmente claro la complejidad de sus efectos

El punto 0

Situación: en la raíz del hélix, donde ésta deja paso a la rama ascendente del hélix, en la intersección de una línea vertical que asciende paralelamente a la cabeza por el borde interior del trago. Se encuentra en una pequeña oquedad cartilaginosa. Es fácil de encontrarlo recorriendo con la uña la raíz del hélix hacia la concha.
Aplicación: el punto 0 es un punto corporal y a la vez un punto estratégico. Desde

la perspectiva china se proyecta aquí el punto Vaso Concepción 8 (centro del ombligo). Nogier ve este punto como centro energético de la oreja (Punto maestro 0). Su efecto se relaciona con la situación energética de todo el pabellón auditivo.

Desde la concepción india se encuentra aquí el chakra de la oreja como centro energético. En sentido figurado, desde el punto 0 influimos sobre la situación energética de toda la oreja22. Así se explica una importante función de este punto. En caso de sobrerreacción al tratamiento regularemos a través del punto 0. Hay que colocar una aguja después de haber sacado todas las agujas.

Nota: es especialmente importante por su carácter estratégico. Como punto energético central de la oreja es el punto de salida de la geometría auricular de Nogier. Todas las líneas de tratamiento parten del punto 0.

Punto de la Angustia (Miedo II)

Descripción: debajo del punto 0, en la raíz del hélix, justo encima del campo del estómago. En la raíz del hélix puede percibirse un nudito en este lugar, y delante del nudito una pequeña muesca.

Es muy parecido a lo que ocurre con el punto 0. De ahí que corramos el peligro de confundirlo con el punto 0.

Aplicación: a nivel corporal está relacionado con el diafragma y el plexo solar. Lange también lo llamó de hecho "Punto del plexo solar". Éste influye en las funciones diafragmáticas, lo que lo convierte en un punto importante en caso de problemas respiratorios. También se lo denomina punto del Miedo. Es importante tratarlo en situaciones donde el miedo del paciente tiene una incidencia como espasmos, problemas respiratorios, etc.

Nota: a partir de este punto tenemos un sector que atraviesa la raíz del helix, y que va de la transición del esófago y el estómago hasta el campo pulmonar, en el que se proyectan las consecuencias del miedo, con la consiguiente repercusión en las funciones respiratoria y digestiva (por ejemplo bronquioespasmos).

Punto de viajes o Náusea

Situación: entre los puntos Colchón y Tallo cerebral , en el surco postantitrágico, en la transición al antitrago, en el canto.

Indicaciones: mareos en general, con frecuencia por viajes en barco, avión o autobús.

Nota: no se puede tratar de manera profiláctica. Los puntos de la oreja sólo surgen cuando hay un problema. Aunque sí podríamos colocar una semilla en el punto Náusea antes del viaje, para poder actuar en caso de mareo.

ACUPUNTURA CONTRA LAS ADICCIONES

Capítulo 7. Acupuntura contra las adicciones

La persona afectada ve su adicción como algo inevitable, que no puede controlar por mucho que se empeñe. Y no sólo se trata de superar los puntos débiles. Para el terapeuta es importante –independientemente de la adicción que trate- no perder el respeto por el paciente, aun cuando éste haya perdido hace mucho tiempo el respeto por sí mismo.

Muchas veces, este aspecto es decisivo en el éxito terapéutico. Nuestro optimismo imbatible y nuestra paciencia deben entenderse, por mucho que hagan posible la curación, como una simple terapia de acompañamiento.

Fumar, por ejemplo, es más que una adicción. El cigarrillo ayuda en todas las fases de la vida. El fumador fuma para no quedarse dormido, para tranquilizarse, cuando se siente inseguro, para relajarse y para matar el aburrimiento.

Sin cigarrillo las manos se convierten en "objetos", que de algún modo molestan. Fumar no es, por tanto, únicamente la necesidad de regulación vegetativa a través de la nicotina. Quien quiera dejar de fumar deberá de hacer algo más que compensar la sensación de pérdida provocada por la falta de nicotina.

La comida tampoco sirve solo para alimentarse. Cuando comemos, nos liberamos también de miedos, depresiones o enfados. En general nos ayuda a superar, al menos de momento, las sensaciones negativas. Con frecuencia la comida, sobre todo los dulces, sirve como consuelo o recompensa. Cuando alguien come de manera excesiva debemos verlo como un signo de agresión reprimida, como una vía de autodestrucción.

La adipositas (obesidad patológica) puede ser expresión de un rechazo inconsciente del papel social (femenino) en la vida. Partiendo de la base de que una serie de causas más profundas determinan estas estrategias, la terapia no debería limitarse a una mera normalización de la conducta alimenticia.

La drogadicción requiere más ayuda que sólo terapia. Por mi experiencia puedo decir que difícilmente se puede ayudar de manera duradera a un drogadicto que nada más terminar la consulta vuelve a su realidad cotidiana. Y eso que la auriculoterapia puede realmente ayudar a superar esta enfermedad. Aunque siempre dependerá en gran medida de la entrega personal del terapeuta. Aun cuando funcione la terapia, no hay mucho marco de influencia sobre las causas sociales de la adicción.

Mucho más problemático me resulta el alcoholismo. La dependencia del alcohol es mucho más profunda y duradera, transforma más a la persona y es más destructiva que todas las demás adicciones. Muchas veces el alcohólico inicia su singladura en el club de fútbol de la infancia. Una evolución semejante pocas veces se verá frenada, ya que apenas hay una conciencia negativa sobre el alcohol en nuestra sociedad. Un alcohólico sólo vendrá a consulta cuando su increíble capacidad de mentirse a sí mismo y a los demás llegue a tal punto que se sienta realmente hundido.

En este sentido, la auriculoterapia no cuenta con una estrategia única, repetible en todos los casos de alcoholismo. El tratamiento dependerá del caso individual, y buscará estabilizar al enfermo. Tampoco tiene mucho sentido hablarle al paciente del alcoholismo, ya que seguramente no tenga gana alguna de justificarse. ¿Por qué habría de hacerlo? Su enfermedad no tiene nada que ver con una valoración moral. Para nosotros no debe ser sino un enfermo con toda una serie de síntomas personales que hay que tratar.

Un paciente, que me había mandado su empresa por su dependencia al alcohol –cosa que yo sabía- contestó a mi pregunta, de por qué venía a verme, de la siguiente manera: "No lo sé muy bien. Mi firma me ha aconsejado que venga a verlo. Pero por qué, no lo sé." Yo tampoco me empeñé en tener razón, y en su lugar traté sus síntomas.

7.1. Trastornos alimenticios y sobrepeso

7.1.1 Información general sobre adipositas

La medicina habla de adipositas o sobrepeso cuando el índice de masa corporal (IMC) supera el 20%. El IMC considera la constitución individual.
La fórmula para calcular el IMC es:
IMC = Peso kg/Talla (m)^2
La Organización Mundial de la Salud (OMS) clasificó en sus informes de 1995 y 1998 el sobrepeso y la adipositas de la siguiente manera:

Peso normal 18,5 – 24,9
Sobrepeso 25,0 – 29,9
Adipositas Grado I 30,0 – 34,9
Adipositas Grado II 35,0 – 39,9
Adipositas extrema Grado III 40,0
Se calcula que aproximadamente la mitad de la población adulta de la República Federal Alemana tiene sobrepeso. Las causas hay que buscarlas, además de en un exceso de comida, también en otros factores como trastornos hormonales. Los factores genéticos también juegan un papel en el desarrollo de la adipositas.

Como ocurre con la bulimia o la anorexia, que siempre están relacionadas con problemas psíquicos profundos, en el caso de la adipositas también debemos partir de la base de que se trata tanto de una enfermedad psicosomática como de un problema fisiológico. La comida ayuda a superar los miedos, las depresiones y los berrinches. Y cuando alguien come demasiado, o bien lo hace como acto autodestructivo o como un signo de agresiones reprimidas. En el caso de las mujeres, la adipositas también puede ser un rechazo inconsciente del papel femenino.

7.1.2 Principios básicos

"Por la mañana deberás comer como un emperador, al mediodía como un rey y por la noche como un mendigo". Se ha demostrado que siguiendo esta sabiduría popular tan simple se pueden perder rápidamente 3 o 4 kilos, sin necesidad de dietas, y sin que el paciente tenga que limitar sus ingestas.

Con la auriculoterapia únicamente podemos lograr regular la necesidad de comer. Se reduce el temblor, el nerviosismo, la agresividad y los problemas de tensión que suelen acompañar a las dietas. Se produce una transformación en la relación enfermiza que el paciente tiene con la comida. Una paciente comentaba que tras el tratamiento podía comer sin esfuerzo sólo lo que necesitaba.

Aunque si lo que buscamos es adelgazar de manera importante en poco tiempo deberemos hacer algo más (auriculoterapia + dieta reductora).

La mejor época para bajar de peso es la primavera, con su fuerza renovada. El otoño y el invierno están menos indicados. Durante el embarazo y la lactancia tampoco es aconsejable adelgazar. En el caso de personas mayores también habrá que tener cuidado. Hay que sopesar las ventajas y riesgos de una cura antes de decidirse.

Hay diferentes estrategias y combinaciones de auriculoterapia contra las adicciones. Antes del tratamiento hay que hablar con el paciente sobre los pasos a seguir y los posibles problemas que pueden acompañar a semejante proyecto. Los pacientes deben tomar la decisión, conscientes de lo que les espera.

En caso de problemas metabólicos es aconsejable acompañar el tratamiento de acupuntura con medicamentos homeopáticos o productos fitoterapéuticos, que mejoren el estado del paciente. Si aparecen problemas durante la cura es que hemos hecho algo mal. Una vez tomada la decisión, el terapeuta deberá estar seguro de por qué el paciente sufre sobrepeso. Si se trata de una persona sana y su peso se debe a su disposición, hay que dejarle claro que la delgadez tan ansiada será sinónimo de enfermedad.

No toda la gente "oronda" está enferma.

7.1.3 Estrategias de tratamiento

Es muy importante que el paciente ponga de su parte. Pero el hecho es que no todo el mundo es igual de decidido. Hay gente con menos energía, que necesita más apoyo del terapeuta. De ahí que tengamos dos estrategias básicas de tratamiento:

1.Claro sopreseso, pero de origen no problemático. Es el caso habitual.

2. En caso de que se vea claro que la persona requerirá más apoyo por parte del terapeuta, adaptaremos la estrategia al paciente.

Ambos conceptos pueden ser complementados con medidas adicionales (dieta reductora o cura rigurosa).

Estrategia I: (claro sobrepeso de origen no problemático)
La mayor parte de los pacientes optan por el concepto I. Se basa en un tratamiento con agujas semipermanentes, que se lleva a cabo tres veces con un espacio de 2 semanas entre sesión y sesión. El estímulo semipermanente es más efectivo que una aplicación sencilla de agujas.

I Sesión
El tratamiento comienza siempre con un tratamiento básico de ambas orejas. Trataremos la línea de trabajo, el Colchón, y si es necesario también algún punto de correspondencia.
Esta sesión sirve para relajar al paciente y eliminar el estado de ansiedad. La aplicación

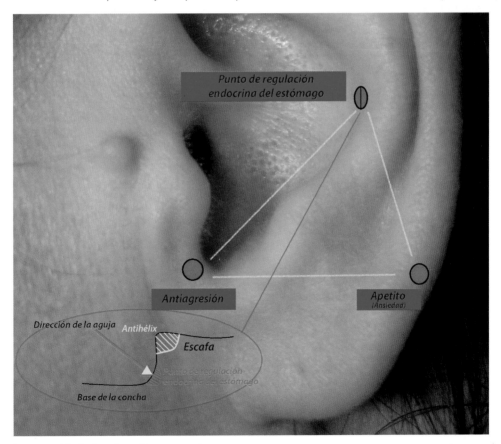

Imagen 65: Adipositas, Concepto I.

de las agujas semipermanentes se efectúa una vez se han retirado las agujas normales. Colocamos las agujas semipermanentes en una sola oreja. Si el paciente es diestro, empezamos con la oreja derecha.

2. Sesión

Dos semanas más tarde hacemos lo mismo que en la primera sesión. Primero tratamiento básico, y después aplicación de las agujas semipermanentes en la otra oreja.

3. Sesión

Dos semanas después se repite el procedimiento, cambiando de oreja. Tras la sesión básica, si el paciente es diestro, se vuelven a colocar las agujas semipermanentes en la oreja derecha.

Las agujas semipermanentes se aplican en los siguientes puntos:

Antiagresión: este punto se encuentra en el lóbulo, debajo de la incisura intertrágica, en la mitad de la misma. Hay que colocar la aguja de abajo hacia arriba en el cartílago.

Ansiedad: en la intersección de una línea horizontal con el borde de la oreja, en el borde externo del lóbulo. La línea transcurre paralelamente a la base del antihélix, y pasa por el punto Antiagresión.

Voracidad: este punto se encuentra en el antemuro (zona endocrina), en el segmento del estómago, a la altura de la C7/D1. Hay que buscarlo con mucho cuidado, antes de colocar la aguja, ya que muy cerca de él se encuentra, en el mismo segmento aunque en la base de la concha, un punto que estimula el apetito.

Concepto II

Si vemos que el paciente necesitará más atención por nuestra parte, repetiremos la sesión semanalmente. En este caso no usaremos agujas semipermanentes. Haremos un total de 5 sesiones, con una distancia de una semana entre cada una de ellas.

Seguiremos los pasos habituales: línea de trabajo, colchón, puntos de correspondencia. Después aplicaremos agujas en una serie de puntos a los que la persona adicta reacciona especialmente y que son muy virulentos. Primero, como es lógico, los tres puntos de adicción: "Antiagresión", "Ansiedad" y el punto ",Voracidad", que como ya indicamos se encuentra en el antemuro, a la altura del área del estómago. Además, es importante estimular y relajar el metabolismo hepático. Junto al punto "Hígado", debemos examinar todos los puntos del ala del hélix. Como ya dijimos, el hélix es, desde la concepción china, un reflejo del hígado, y los puntos del hélix tienen cierto efecto sobre el metabolismo hepático.

Para relajar al paciente, podemos recurrir a puntos adicionales como el Shen men (cadera), el Punto de Jerónimo, puntos del campo pulmonar (triángulo pulmonar) y los que se encuentran en el trago.

7.1.4 Medidas adicionales

Quien quiera reducir su peso, debería procurar hacerlo de manera natural, de acuerdo con las propias posibilidades corporales. Cada cual debe seguir su propio camino. Aunque siempre es válido el principio de: "El que quiera permanecer fuerte, sano y joven, deberá ejercitar el cuerpo, respirar aire puro y curarse más con los ayunos que con los

medicamentos." (Hipócrates).
El conocimiento de la fuerza limpiadora y renovadora del ayuno es muy antiguo. En muchas culturas, el ayuno sirve para limpiar el cuerpo y el alma.

Aprendamos de las escuelas de sabiduría de la Antigüedad, que se sometían a ayunos regulares para obtener fuerza para su trabajo intelectual.
El que tras una cura reductora vuelva a ganar peso o incluso se ponga más

gordo que antes, es porque ha dado un paso en falso. Una cura reductora natural garantiza un cambio radical de nuestra relación con la comida, por lo que no se producirá un efecto rebote.

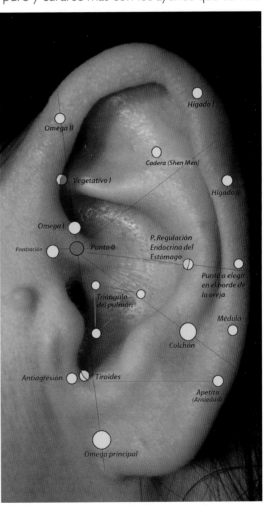

Imagen 66: Adipositas, Concepto II.

7.1.4.1 Cómo hacer una cura de reducción y ayuno.

1. Fase introductoria:

Dura una semana. Es la fase preparatoria. El participante se hace cargo de lo que le espera. El primer paso consiste en realizar ciertos cambios alimenticios y limpiar el intestino.

2. Fase de reducción:

El mejor camino, aunque de hecho no es ideal para cualquier paciente, es el ayuno total, con mucho té para liberar toxinas y zumos que garanticen el equilibrio mineral. No todo el mundo está en condiciones de hacerlo de manera tan radical.

Sobre todo las personas mayores precisan de alternativas más suaves. Una dieta menos espectacular también puede producir una reducción del peso corporal.

Para apuntalar el éxito es importante acompañar el proceso con auriculoterapia. Hay muchas dietas razonables. Para que sean válidas deben cumplir ciertos requisitos:

Una dieta debe cubrir la demanda de minerales del organismo.

Debe ser flexible y ajustarse a las necesidades personales de cada paciente.

Si una dieta pone enfermo al paciente, es que es errónea. Quien sufra durante la dieta es que hace algo mal.

El tipo de terapia hay que decidirlo desde el principio con el paciente. Puede ser más radical, con ayuno total durante un periodo, o más moderada, con un cambio suave y progresivo de los hábitos alimenticios. Los problemas durante el ayuno los solucionaremos a nivel sintomático con la ayuda de la homeopatía o la fitoterapia.

3. Fin del ayuno:

Tras concluir la fase reductora mediante una dieta cura hay que volver a la normalidad. Es importante volver progresivamente a la alimentación normal. Se trata de un paso fundamental para garantizar el éxito de la cura. Hay que tener en cuenta que el cambio debe producirse de manera lenta y progresiva. El fin del ayuno viene a durar una semana.

No podemos ahondar en las diferentes dietas existentes. En nuestra página web www.ak-ohrakupunktur.de encontrará más información al respecto.

7.1.5 Anorexia nerviosa y Bulimia

7.1.5.1. Anorexia nerviosa

La Anorexia nerviosa es un trastorno alimenticio, caracterizado por una importante pérdida de peso, y que se diferencia en este aspecto de la bulimia. Sobre todo afecta a mujeres jóvenes. El inicio de la enfermedad suele darse en la pubertad. La consecuencia es una grave pérdida de peso (hasta el 50% del peso inicial). Este tremendo abuso del propio cuerpo provoca graves daños debido a los trastornos hormonales (no llega la regla, falta de tono muscular, problemas circulatorios) así como por falta de vitaminas y minerales.

Una afección semejante suele manifestarse cuando una joven se siente superada por las exigencias que le plantea esta nueva fase de la vida. Siente una profunda desorientación e inseguridad. El hecho de controlar el propio peso es lo que le da una sensación de seguridad. El peso corporal juega un papel importante en la autoestima. Problemas como la ausencia de menstruación, la falta de rasgos femeninos o la frigidez. Se cree que en las personas afectadas hay un trastorno en la región cerebral encargada tanto del comportamiento alimenticio como de la actividad sexual y la menstruación.

7.1.5.2. Bulimia

"Bulimia" significa literalmente "Hambre de buey", y es un trastorno alimenticio caracterizado por ataques de hambre, vómitos provocados por el propio enfermo y muchas veces abuso de medicamentos para evitar el aumento de peso. Al contrario de lo que ocurre con la anorexia los afectados suelen tener un peso normal. Más del 90% de los bulímicos son mujeres. Dado que tras los ataques de hambre suelen vomitar, ello provoca un déficit de vitaminas y minerales, que pueden resultar peligrosos a la larga. Por un lado, el cuerpo reacciona tras años de carencia alimenticia con un descenso de la demanda energética, de modo que la persona afectada engorda aunque coma menos. Para mantener una figura esbelta los afectados se ven obligados a tomar continuas medidas de control de peso.

7.1.5.3. Tratamiento de Anorexia nerviosa y/o Bulimia

Enfermedades como la anorexia nerviosa y la bulimia, además de problemas psico-somáticos, someten al organismo a una carencia de vitaminas y minerales. Para lograr la sanación es importante que reciban los nutrientes necesarios (proteínas, minerales, vitaminas) y recuperen la energía.

El problema es que los pacientes no aceptan que se ponga en tela de juicio su control sobre el propio peso. Necesitamos, por tanto, una vía que el paciente acepte y que permita progresivamente un suministro básico de nutrientes. Tampoco debemos olvidar que el cuerpo, tras una larga etapa de infraalimentación requiere mucha menos energía, con lo que cualquier aumento en la ingesta puede producir un fuerte aumento de peso. De ahí la importancia de reconducir al organismo a un metabolismo normal. El mejor camino para ello es combinar la auriculoterapia con una dieta que garantice los nutrientes básicos.

Las sesiones se repiten cada semana. No se usan agujas semipermanentes. Primero se buscan y tratan la línea de trabajo, el colchón y los puntos de correspondencia.

Después aplicaremos agujas en una serie de puntos a los que la persona adicta reacciona especialmente y que son muy virulentos. Primero, como es lógico, los tres puntos de adicción: "Antiagresión", "Ansiedad" y el punto ",Voracidad", que como ya indicamos se encuentra en el antemuro, a la altura del área del estómago. Además, es importante estimular y relajar el metabolismo hepático. Junto al punto "Hígado", debemos examinar todos los puntos del ala del hélix. Como ya dijimos, el hélix es, desde la concepción china, un reflejo del hígado, y los puntos del hélix tienen cierto efecto sobre el metabolismo hepático.

Para relajar al paciente, podemos recurrir a puntos adicionales como el Shen men (cadera), el punto de Jerónimo, puntos del campo pulmonar (triángulo pulmonar) y los que se encuentran en el trago. El punto R o punto de Bourdiol podría jugar un papel importante.

La inervación de este punto puede conducir a la superación de un trauma psíquico. Este modelo de acupuntura relaja y tiene un efecto regulador, de modo que se evitan reacciones excesivas, sobre todo metabólicas.

Adicionalmente ofreceremos al paciente una dieta basada sobre todo en tés y zumos (rica en vitaminas y minerales), y en la medida en que lo acepte el paciente ...
acompañada de pequeñas comidas, para cubrir la demanda proteínica. Así lograremos mejorar de manera significativa el balance de minerales, evitando al menos una causa de ataques de hambre. Ahora bien, esta estrategia requiere grandes dosis de paciencia. Para cambiar las estrategias vitales de una persona hay que hacerlo en pequeños pasos. De ahí la cautela de la que debemos hacer gala en todo momento.

7.2 Acupuntura contra el tabaquismo

7.2.1 Introducción

Como dijimos más arriba, fumar es más que una adicción, nos llena de algún modo la vida.

En la mano izquierda un cigarrillo, y en la derecha un vaso de vino, ¡así nos enfrentamos al mundo! Fumar no es, por tanto, únicamente la necesidad de regulación vegetativa a través de la nicotina. Quien quiera dejar de fumar deberá de hacer algo más que compensar la sensación de pérdida provocada por la falta de nicotina.

"No hay nada más fácil que dejar de fumar, yo ya lo he hecho 20 veces". Así se consuelan los perdedores, ansiosos de compensar la autoestima herida. Pero no hay motivos para incurrir en mala conciencia. Quien pueda dejar el tabaco "así sin más", es que no tenía dependencia. La mayoría de los fumadores sí que son dependientes.

Cualquiera que quiera librarse del tabaco, deberá contar con alternativas para la etapa post tabaco. Para dejar de fumar se requiere mucha energía —con frecuencia más de la que dispone uno. De ahí la importancia de plantearse cuándo y bajo qué circunstancias decidimos dejar de fumar (un proyecto semejante es más fácil en primavera que en invierno) y si realmente tiene sentido recomendar a una persona enferma o mayor dejar el tabaco.

7.2.2 Indicaciones terapéuticas

Con la acupuntura podemos evitar por completo, o al menos en gran medida, los temblores, el nerviosismo, la agresividad, los problemas circulatorios y los mareos que suelen acompañar al proceso.

El paciente deja de tener una necesidad física de cigarrillo (eso está demostrado) y aquellos que interrumpen la cura necesitan unos cuantos cigarrillos para recuperar aquel "buen sabor" de antaño.

Antes del tratamiento hay que conversar con el paciente sobre los pasos a dar y los posibles problemas que pueden surgir.

El paciente tiene que tomar la decisión a conciencia y debe saber lo que le espera. Hay que evitar que tomen la decisión espontáneamente. Aquellos pacientes que se fuman un último cigarrillo antes de entrar en la consulta y después, de manera ostentosa, destruyen la cajetilla ante nuestros ojos, no hacen sino mostrar la inseguridad que tienen de conseguir su objetivo. Los que quieren probar, y nos dicen "A ver si vale esta terapia", por lo general, no lo consiguen.

El día del tratamiento, el paciente no debería haber fumado ningún cigarrillo. Esto es importante, ya que el alivio que la auriculoterapia ofrece al paciente (que se encuentra en pleno proceso de "desenganche") es percibido claramente por éste.

Así crece la confianza del paciente en la efectividad del tratamiento. Además, los puntos relevantes contra la adicción son difíciles de encontrar si el paciente se acaba de fumar el último cigarrillo a la puerta de la consulta.

Hay que dejar claro al paciente que a partir de este momento ya no es fumador.

La frase "No quiero fumar más" es demasiado ligera e implica que si no queda más remedio se puede volver a fumar. ¡Nada que hacer! Una cura contra la adicción sólo finalizará cuando el paciente lo consiga, por mucho que lo acompañemos en el plano terapéutico.

No es aconsejable recurrir a la homeopatía como terapia complementaria. El hecho de que dos terapias sean efectivas no quiere decir que juntas sean el doble de exitosas. Si la homeopatía es efectiva, se caerán las agujas.

Aunque en caso de que la auriculoterapia no sea suficiente, y en especial al fin de un ciclo de tratamiento vuelvan los síntomas del desenganche, puede venir muy bien un tratamiento homeopático.

7.2.3 Conceptos de tratamiento

Es fundamental que el paciente, además de la ayuda que le brindamos, aporte su propia voluntad. No todo el mundo tiene la misma convicción a la hora de dejar el tabaco. Algunos tienen menos energía, y por tanto necesitan más de nuestro apoyo para permanecer "fuertes".

De ahí que contemos con dos conceptos básicos de tratamiento. Uno requiere más control por parte del terapeuta (concepto II). El otro (concepto I) lo elegiremos si creemos que el paciente es más firme en su propósito.

La decisión la tomaremos después de conversar con el paciente.

Concepto I

La mayoría prefieren el concepto I. Éste consiste en el tratamiento con agujas semipermanentes, repetido tres veces, con una distancia de dos semanas entre sesión y sesión. El estímulo continuado es más efectivo que una sesión normal.

I. Sesión:

El tratamiento comienza siempre con un tratamiento básico de ambas orejas. Trataremos la línea de trabajo, el colchón, y si es necesario también algún punto de correspondencia.

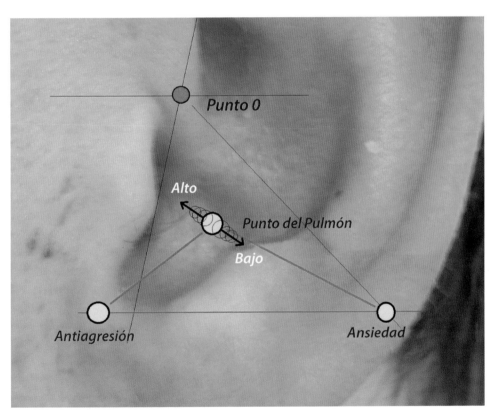

Imagen 67: Tabaquismo/Agujas semipermantes.

Esta sesión sirve para relajar al paciente y eliminar la ansiedad. La aplicación de las agujas semipermanentes se efectúa una vez se han retirado las agujas normales. Colocamos las agujas semipermanentes en una sola oreja. Si el paciente es diestro, empezamos con la oreja derecha.

2. Sesión:

Dos semanas más tarde hacemos lo mismo que en la primera sesión. Primero tratamiento básico, y después aplicación de las agujas semipermanentes en la otra oreja.

3. Sesión:

Dos semanas después se repite el procedimiento, cambiando de oreja. Tras la sesión básica, si el paciente es diestro, se vuelven a colocar las agujas semipermanentes en la oreja derecha.

Las agujas semipermanentes se aplican en los siguientes puntos:

Antiagresión: este punto se encuentra en el lóbulo, debajo de la incisura intertrágica, en la mitad de la misma. Hay que colocar la aguja de abajo hacia arriba en el cartílago.

Ansiedad: en la intersección de una línea horizontal con el borde de la oreja, en el borde exterior del lóbulo. La línea transcurre paralelamente a la base del antihélix, y pasa por el punto Antiagresión.

Pulmón/Bronquios: hay que tratar un punto activo en el campo del pulmón, en la hemiconcha inferior. Hay que buscarlo en una zona comprendida entre la garganta y el cardias, paralelamente a la raíz del hélix. La región inmediata de un punto semejante llama la atención. Si se trata de un fumador empedernido es posible que encontremos alguna oquedad y que la zona sea muy sensible al dolor. Si la dependencia a la nicotina no es tan fuerte (quizás porque no lleve tanto tiempo fumando) lo normal es que esté más cerca de la garganta. Si la dependencia es mayor, estará en la zona del pulmón, cerca del campo del estómago.

Concepto II

Si vemos que el paciente requiere más atención por nuestra parte, deberá venir a consulta una vez a la semana. En este caso no usaremos agujas semipermanentes. El tratamiento se repetirá cada semana, un total de 5 veces.

En cada sesión se buscan y tratan la línea de trabajo, el Colchón y los puntos de correspondencia.

Después aplicaremos agujas en una serie de puntos a los que la persona adicta reacciona especialmente y que son muy virulentos. Primero, como es lógico, los tres puntos de adicción:

Antiagresión, Ansiedad y un punto en el área del pulmón.

Además, es importante estimular y relajar el metabolismo hepático. Junto al punto Hígado, debemos examinar todos los puntos del ala del hélix. Como ya dijimos, el hélix es, desde la concepción china, un reflejo del hígado, y los puntos del hélix tienen cierto efecto sobre el metabolismo hepático.

Para relajar al paciente, podemos recurrir a puntos adicionales como el Shen men (cadera), el punto de Jerónimo, puntos del campo pulmonar (triángulo pulmonar) y los que se encuentran en el trago.

Como medida complementaria ha demostrado su validez mascar una mezcla de cálamo y regaliz. Hay que rallar los dos ingredientes y mezclarlos a partes iguales. Cuando el paciente sienta la necesidad, deberá masticar una pizca del mismo. Los principios amargos actúan sobre el hígado, de ahí su validez para una situación semejante.

7.3. *Acupuntura contra el alcoholismo*

Este tratamiento no se basa en una estrategia clásica contra las adicciones. Los alcohólicos tienen síntomas corporales de muy diverso tipo, mentalmente son muy inestables y tienen una sensibilidad a flor de piel (al menos cuando les falta el alcohol). La más mínima intervención provocará una hiperreacción. El tratamiento deberá centrarse, primeramente, en controlar los síntomas corporales (dolores, calambres, etc.), pero sobre todo deberá mejorar el metabolismo del paciente y fortalecerlo mentalmente. Hay que tratar siempre las dos orejas. Como ocurre con cualquier enfermedad, debemos tratar la línea de trabajo, el Colchón y los puntos de correspondencia.

En caso necesario incluiremos los puntos orgánicos, y aquellos que proyectan interacciones psicosomáticas. Además de los puntos elegidos en función de la geometría de la oreja (si es que no aparecieron ya en la estrategia de trabajo), puntos como "Antiagresión", Ansiedad, Shen men, los puntos Ómega, los del borde de la oreja, puntos en el campo del pulmón (triángulo pulmonar), y todos los puntos sensibles del ala del hélix.

No olvide que cualquier estímulo excesivo o demasiado frecuente puede provocar de inmediato una hiperreración en un alcohólico. Por eso, el espacio mínimo entre sesiones no debería ser menor a 6 o 7 días. Si el efecto subjetivo del tratamiento disminuye antes de la siguiente sesión habrá que recurrir a métodos complementarios de tratamiento. La homeopatía ayuda mucho en estos casos. Ésta ofrece todo un surtido de posibilidades, pero que siempre deberán basarse en el cuadro sintomático de la persona. De ahí que no podamos abundar en ello en este libro. Si nos encontramos con un cuadro agudo, ante un síndrome de abstinencia severo (colapso, delirio) es recomendable dar al paciente Camphora D1 repetidas veces. Hay que poner 5 gotas de Camphora directamente en la lengua, o en una cucharadita de azúcar y el paciente las toma de este modo.

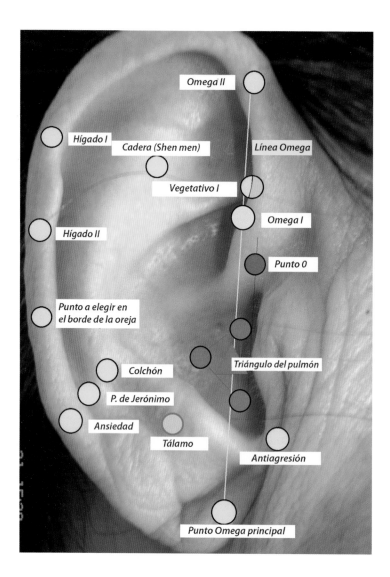

Imagen 68:
Puntos para el
alcoholismo

7.4 Acupuntura contra la drogadicción

Aquí también hay que tratar ambas orejas. Las sesiones se repiten semanalmente. En ningún caso utilizaremos agujas semipermanentes. Como ocurre con cada tratamiento de alcohólicos, la sesión se basa en la estrategia habitual: línea de trabajo, Colchón y puntos de correspondencia.

En caso necesario, incluiremos los puntos orgánicos, y aquellos que proyectan interacciones psicosomáticas.

El tratamiento deberá centrarse, primeramente, en controlar los síntomas corporales (dolores, calambres, etc.), pero sobre todo deberá mejorar el metabolismo del paciente y relajar su mente. Además de los puntos elegidos en función de la geometría de la oreja (si es que no aparecieron ya en la estrategia de trabajo), puntos como Antiagresión, Ansiedad, Shen men, los puntos Ómega, los del borde de la oreja, puntos en el campo del pulmón (triángulo pulmonar), y todos los puntos sensibles del ala del hélix.

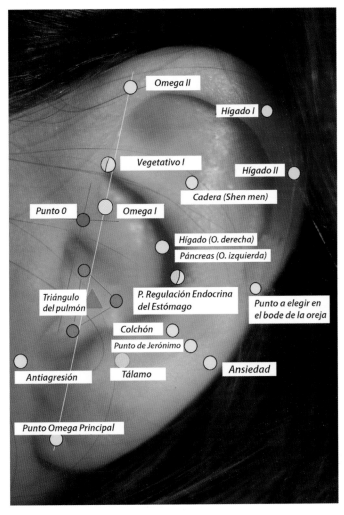

Por lo general, el peor momento del síndrome de abstinencia es la tarde y la noche. De ahí que en una consulta normal, poco se puede hacer por un drogadicto en esas horas del día. Por eso es importante desarrollar estrategias con el paciente, que le ayuden a superar las "horas negras". Una posibilidad es que tome todas las noches avena sativa. La avena tiene un profundo efecto relajante y reconfortante. Al principio le daremos por la noche 1–3 x 20–30 gotas en té o agua caliente. Además deberán evitarse todos los estimulantes, ya sea café o alcohol. El que requiera café debería tomar café de Kneipp o té de avena (muy relajante).

Imagen 69: Puntos psicotrópicos y de interacción vegetativa.

EJEMPLOS DE TRATAMIENTOS

Capítulo 8. Ejemplos de tratamiento

"Todo lo que el médico puede encontrar realmente enfermo en el paciente, todo lo que se puede sanar, lo encontrará en las dolencias del enfermo y en los cambios producidos en su estado; en una palabra: sólo en la totalidad de los síntomas!"

Samuel Hahnemann

En relación a todos los casos que vienen a continuación, quisiera señalar que los esquemas de tratamiento siempre se basan en personas y situaciones particulares, y que por ello no son, en ningún caso, reproducibles de modo general.

Cada paciente enferma de manera única e intransferible. Por eso cada sesión hay que conformarla en base a esta premisa. Las causas e interacciones de las enfermedades se presentan de manera bien diferente en cada persona. Los casos que presentamos no hay que verlos como recetas, sino más bien como estrategias típicas de diferentes enfermedades. Sólo las estrategias son reproducibles.

8.1 Alergias

Una alergia es una reacción excesiva del sistema inmunitario ante ciertos alérgenos, que en situaciones normales son inocuos. Los síntomas más conocidos son problemas respiratorios, sinusitis, asma, irritaciones cutáneas como urticaria o neurodermitis, problemas oculares como conjuntivitis, así como trastornos del tracto digestivo como malestar, calambres, diarreas, etc. El cansancio, los problemas de concentración y el insomnio son síntomas adicionales que por lo general no suelen tenerse en cuenta.
Los alérgenos suelen llegar por vía respiratoria, cutánea, a través del veneno de insectos, alimentos y medicamentos. A lo largo de los últimos decenios han aumentado este tipo de alergias hasta tal punto que podemos hablar de una verdadera amenaza pública. La persona tiene que defenderse de un fenómeno nuevo. Ante el intento de explicar las alergias, muchos confunden el efecto con la causa.

La causa no es la presencia de substancias alérgenas, y su consiguiente carga para el organismo, sino la incapacidad de éste de sobreponerse de manera natural a estos estímulos. Un organismo sano que está en condiciones de eliminar los alérgenos, mientras que a un organismo debilitado le faltará la fuerza para ello. En realidad, las interacciones que conducen a una reacción alérgica se basan en el intento del organismo (en condiciones normales sí lo consigue) de protegerse de influjos externos de todo tipo. Las causas son, sobre todo, situaciones de debilidad producidas por enfermedades adquiridas. En sí, una alergia no es algo hereditario.
La disposición heredada con la que todos venimos al mundo, significa como mucho una tendencia general a ciertas enfermedades, o una debilidad orgánica, pero no un determinismo patológico.

Cualquier alérgico estuvo sano antes de enfermar. Muchas de las terapias que se ofrecen en la actualidad deberían ponerse al menos en tela de juicio.
En primer lugar tenemos la Hiposensibilización. Es la terapia secundaria más frecuente. Aumentando progresivamente la dosis de alérgenos, que son inyectados subcutáneamente, el sistema inmunitario debe aprender a controlarse, de modo que no reaccione de forma tan extrema a la sustancia en cuestión. La terapia suele durar 3 años, y no está exenta de efectos secundarios, que pueden llegar hasta el shock anafiláctico. Ocasiona daños hepáticos nada insignificantes, que pueden provocar que el paciente reaccione con todo tipo de síntomas, desde sinusitis, a irritaciones cutáneas o conjuntivitis, así como problemas del tracto intestinal, mareos, calambres, diarrea, etc.
Con frecuencia se recetan antihistamínicos, ya sea en pastillas, sprays o colirios. Es bastante normal reprimir los síntomas alérgicos con cortisona. La fiebre del heno es posible acallarla durante un tiempo con cortisona, pero sólo hasta que su efecto cesa.

Una vez finaliza el efecto comprobamos que no se produjo la curación del problema, y que los síntomas vuelven con toda intensidad.

La idea generalizada de que hay que buscar la sustancia que desata la reacción alérgica, para evitarla en lo sucesivo, no soluciona realmente el problema. En la actualidad hay más de 20.000 substancias registradas que pueden provocar una alergia.

No todas las enfermedades con los síntomas arriba indicados tienen que deberse obligatoriamente a una alergia o a una debilidad inmunitaria. Muchos problemas de este tipo, considerados como alergia por su sintomatología se deben a otras interacciones (problemas en el metabolismo hepático, etc.) y sólo podrán curarse si se reconocen las verdaderas causas.

Alergia Caso 1:

Una joven paciente. Da la sensación de tener prisa, y es muy irritable. Los párpados están enrojecidos, inflamados y le pican mucho. Como se los frota continuamente, le queman. La nariz está obturada, y los bordes están inflamados.

Con frecuencia tiene ataques de estornudos. Además se queja de un continuo dolor de cabeza tenue y de un cuero cabelludo seco que le pica.

Tiene diarrea, sobre todo por la mañana. El ano y la vagina le pican terriblemente. A veces le falta el aliento y necesita mucho aire puro. La piel está bastante seca. Es insoportable el picor en la cabeza y las piernas. La paciente se rasca hasta que le sangran. El estado se mantiene desde hace varios meses. Un examen de laboratorio ha detectado varios alérgenos, con una sensibilidad especial al polvo.

El examen de la oreja confirma los síntomas: la línea de trabajo pasa por las vías urinarias/vejiga (debilidad), sacro, hipertonía y está dominada por el punto de Alergia (reacciones excesivas). El punto de correspondencia 1 (30°) muestra adicionalmente una tendencia a la inflamación (amígdalas), y el punto de correspondencia 2 (60°) lleva al punto de Darwin, delatando una conexión con un metabolismo del ácido úrico debilitado.

La conexión Vejiga/Riñón y la hipertonía documentan la debilidad por falta de energía. La prolongación de una línea, que enlaza el punto Amígdalas II con el punto 0, llega también al área de compensación psicosomática, subiendo hasta el punto R de Bourdiol. Esto nos muestra una interacción psicosomática general, que, o bien es consecuencia de la afección, o la causa de la misma.

La paciente es tratada en ambas orejas. En las dos se tratan puntos sintomáticos como el Colchón, puntos de la línea sensorial, Ojo, Nariz, Estornudo y otros, en la medida en que son importantes en el cuadro de la paciente y muestran virulencia a la presión.

La constelación de puntos (nivel segmental) de ambas orejas es similar. Tras la primera sesión, la paciente siente una importante mejora del prurito, la nariz se le libera y, en general, se siente más relajada. La paciente se queda dormida en la camilla. Las sesiones sucesivas muestran, paralelamente a la mejoría de su estado, nuevas combinaciones de

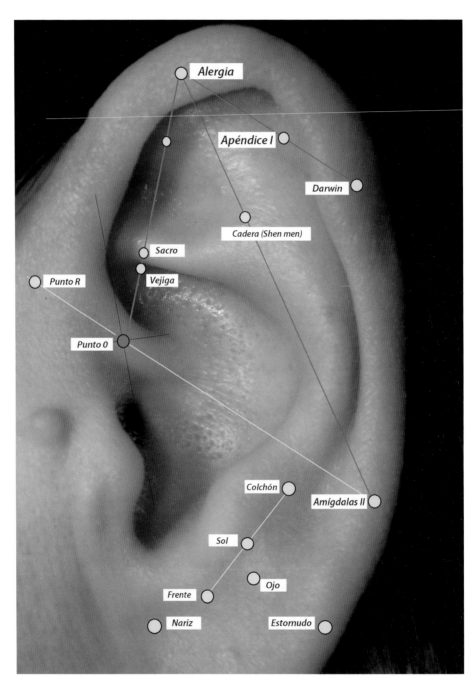

Imagen 70: Alergia. Caso 1. Oreja Izquierda

puntos. No se vuelve a repetir una proyección idéntica (combinación de puntos) a la primera. El cambio de estado de la paciente va generando nuevas combinaciones.

Alergia Caso 2:

La paciente es enfermera y sufre una alergia de contacto. Está agotada y llena dpreocu-paciones, aunque parece una persona con mucho autocontrol. La desazón interna se patentiza porque no deja de hacer pequeños movimientos. Tiene dolores de cabeza y un cuero cabelludo escamoso, que le pica mucho. Le lloran y queman los ojos. Siente que la nariz está obturada, a pesar de que de vez en cuando sale una secreción acuosa. Estornudos incesantes. El paladar y el cuello están inflamados. Un dolor punzante le bloquea el pulmón derecho cuando inspira. La tos es seca y de vez en cuando tiene auténticos ataques de tos. Ello le provoca una falta de aire terrible, que aumenta al tumbarse, y que le produce miedo y rabia. Odia las situaciones que se escapan a su control. Además tiene una fuerte diarrea (la fruta fresca y los zumos la empeoran), y el ano le produce una dolorosa quemazón.

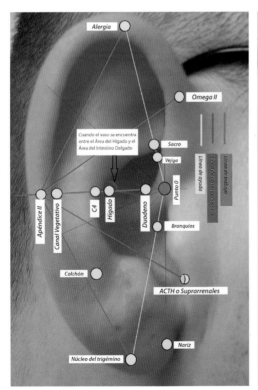 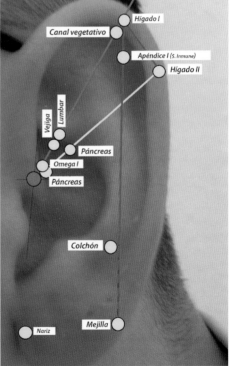

Imagen 71 y 72: **Alergia. Caso 2. Oreja derecha e izquierda**

Su estado empeora en cuanto entra en contacto con productos químicos de limpieza y desinfección. Es cuando empieza a inflamársele la piel de las manos.

Por eso, suele llevar guantes de goma mientras trabaja. Cuando se pone unos nuevos tiene que lavarlos antes de usarlos, ya que el talco le irrita también la piel. La columna vertebral está especialmente bloqueada en la D8. La línea de trabajo delata problemas renales funcionales. Los puntos que dominan la línea de correspondencia 1 son el punto Neurosis cardiaca y el Antiagresión, y muestran una participación pulmonar y un componente psíquico no desdeñable. El punto dominante en la línea de correspondencia 2 es el punto Alergia. Esta línea de correspondencia transcurre por la zona de la Urticaria. Con los puntos activos de la zona tenemos un efecto sedante en la piel. La línea de correspondencia 3 pasa por el punto Apéndice (sinónimo de inflamación) y desemboca en el punto Estornudo.

En la oreja izquierda hay un bloqueo en la C6. La línea de tratamiento pasa por el punto Timo, lo cual delata una debilidad del sistema inmunitario.

Aquí podemos partir de la base de que la enfermedad es más profunda y compleja que en el primer ejemplo. Esto se ve por las dislateralidad en las líneas de trabajo de ambas orejas. El tratamiento es completado con puntos sintomáticos como Colchón, Asma, Nariz, en la medida en que se muestran virulentos.

Un tratamiento fitoterapéutico u homeopático adicional (metabolismo, psique) acelera el proceso de curación.

Alergia. Caso 3:

El paciente tiene unos 45 años y dirige una pequeña empresa. Se siente como un luchador solitario, su posición la lleva como una gran carga. Tiene un pasaporte alérgico bastante completo y ya se encuentra en la tercera fase de desensibilización. Suda mucho y con frecuencia. Sus párpados están inflamados, enrojecidos, y lloran. La nariz está ligeramente hinchada y continuamente obturada. Sobre todo por la noche. Ronca fuertemente, no cesa de estornudar y se tiene que limpiar continuamente la nariz, ya que de lo contrario no le llega el aire.

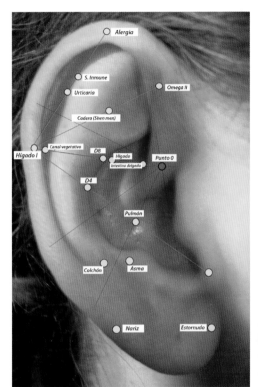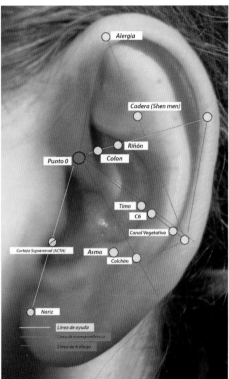

Imagen 73 y 74: Alergia. Caso 3. **Oreja derecha e izquierda**

También le cuesta respirar, sobre todo inspirar. Sufre ataques nocturnos de tos y a veces casi llega a hiperventilar. La tensión arterial aumenta con rapidez, y una fuerte presión en la mitad izquierda del pecho le produce mucho miedo. Aunque el aire frío del invierno también le hace toser con fuerza. No duerme profundamente y tiene problemas de vejiga por la noche. Al orinar siente una quemazón en la uretra. La garganta está siempre inflamada, y siente una sensación desagradable al tragar.

Esta sintomatología la sufre desde hace años. Los influjos externos apenas producen cambios.

Habida cuenta del segmento afectado de la D4 y los puntos que aparecen en la línea de trabajo: Apéndice (foco infeccioso), Hígado, Intestino Grueso (S. inmunitario), podemos partir de la base de que el metabolismo hepático dicta las reacciones corporales. Aquí podemos decir que hace ya tiempo que no hay un proceso alérgico. Esta percepción se ve refutada por un vaso venoso proyectado en la concha, en el Hígado/Vesícula, que llega hasta el intestino delgado. En la Medicina china un vaso semejante indica un foco infeccioso. Los puntos de correspondencia 1, Trigémino,

2 Suprarrenales (o Punto ACTH), Darwin y Omega II muestran un cuadro de reacciones agresivas.

El paciente es tratado, por supuesto, en ambas orejas. En la oreja izquierda la línea de trabajo pasa por los puntos Omega I (Intestino Grueso), Vejiga, Zona de la Urticaria y Darwin. La línea de correspondencia marca el Punto del Trigémino como punto de correspondencia, y pasa por el punto virulento Páncreas. De nuevo, encontramos un problema metabólico, algo bastante plausible para completar la situación del hígado en la otra oreja. Podemos partir de la base de que los años de desensibilización son responsables de estas fuertes reacciones metabólicas.

En ambas orejas, además del Colchón, y en base a la sintomatología del paciente, son también tratados los puntos orgánicos Pulmón, Nariz, Estornudo y Ojo.

8.2 Dolor

En el Antiguo Egipto se distinguía entre los dolores corporales de origen conocido, y aquellos cuya génesis no era posible determinar. Los dolores de origen desconocido eran atribuidos a fuerzas sobrenaturales, a los espíritus. Para combatir estos dolores inexplicables se recurría entre otras cosas, a los números mágicos, como el 7.

Los egipcios solían utilizar una cuerda con 7 nudos, en la que se colocaban objetos mágicos, para combatir los dolores de cabeza. El dolor de cabeza se mitigaba de este modo – o no, como suele ocurrir con las cosas mundanas.

Hipócrates (hacia el año 400 a. C.) consideraba que el dolor era una peculiaridad del alma. Trataba el dolor como un problema que podía dominarse mediante la lógica y el pensamiento racional.

Galeno (médico romano del primer siglo de nuestra era) pensaba que los dolores internos se debían a una inadecuada composición de los humores corporales.

Descartes (hacia 1580) pensaba que el cuerpo y el alma funcionaban independientemente. Para él el dolor era un fenómeno puramente corporal.

La ética cristiana del sufrimiento define el dolor como un producto de la voluntad divina. Desde este prisma, los dolores sirven a la redención del cuerpo y el alma.

Ya en nuestros días, la medicina convencional vuelve a hablar de dolores de origen desconocido. Incluso se habla de una "enfermedad del dolor". ¿Dolores sin razón reconocible? ¿Espíritus? ¿Volvemos a estar en el nivel de conocimientos de los antiguos egipcios?

Desde el punto de vista chino, y de la medicina natural actual, el dolor surge por un déficit en el flujo energético. Una idea que se mantiene desde hace más de 2000 años. El dolor surge porque a un determinado lugar del cuerpo llega poca energía, o bien porque el exceso de energía produce una especie de taponamiento.

El dolor suele ser, por tanto, la señal del cuerpo de que hay un desajuste.

El dolor tiene su sentido en la vida. No es una amenaza. De hecho, nos permite detectar y regular los problemas orgánicos.

A nivel sensorial, nuestros pacientes perciben el dolor como una realidad compleja, que puede variar mucho, tanto a nivel cualitativo como cuantitativo. Hablan de dolores fuertes, débiles, punzantes, que queman, etc. Puede que el dolor surja repentinamente, tras un golpe seco, o puede también adquirir carácter crónico, convirtiéndose en nuestro más fiel acompañante.

Las principales causas aceptadas del dolor son:

Una lesión estructural localizada (alguien que se golpea la rodilla, por ejemplo).

Problemas funcionales, que generan dolores de cabeza u otros padecimientos, y que suelen estar acompañados de desajustes metabólicos (ya sea a nivel de causa o de efecto)
Conflictos emocionales y sociales, con un determinado efecto sobre el organismo (dolores de espalda, por ejemplo). Desde el punto de vista de la medicina china, los problemas personales y sociales no resueltos se manifiestan en la espalda.

A algunos les cuesta reconocer semejantes interacciones. Pero lo que muy pocos perciben es el hecho de que el dolor con frecuencia está provocado por campos de interferencia.

Remito a las enseñanzas de los hermanos Huneke (Terapia neural):

* Toda enfermedad crónica puede estar producida por un campo de interferencia
* Cada punto del cuerpo puede convertirse en campo de interferencia.

Esto significa que cualquier cicatriz, cualquier fractura ósea soldada hace mucho tiempo, cualquier infección crónica (nos referimos a aquellos focos infecciosos que surgen en los dientes, las fosas nasales, las amígdalas, o los provocados por las vacunas), pueden convertirse en un campo de interferencia, generando irritaciones en el organismo. Los campos de interferencia provocan enfermedades, entre cuyas consecuencias están también los dolores.

Un ejemplo: una persona llevaba años padeciendo fuertes dolores de estómago que desaparecieron en el momento en que se mejoró la irrigación de las cicatrices que cortaban el flujo energético del meridiano del Estómago. Las cicatrices que quedan tras una cesárea u otras operaciones ginecológicas pueden provocar una conducta sexual anómala (frigidez), en el momento en que éstas se llenan de adherencias. Otro ejemplo: los focos dentales son campos de interferencia a tomar en serio. Según el profesor Bucek, casi en el 90% de la población encontramos focos dentales, causados, entre otras cosas, por tratamientos odontológicos. Las consecuencias serían, según Bucek, enfermedades crónicas, que van del reuma a problemas circulatorios o neuralgias. No se ve, por tanto, únicamente afectado el sistema inmunitario, sino también los nervios y el balance energético corporal.

Desde mi perspectiva- basada tanto en la práctica diaria como en las enseñanzas de la Medicina Tradicional China- el dolor nunca es un síntoma casual y aislado, sino que siempre se integra en los mecanismos de la enfermedad. El hecho de que pueda ser reconocido causalmente, depende únicamente del horizonte experiencial del observador.

Aunque aquí entra en juego otra circunstancia objetiva, que no suele tenerse en cuenta. Las interferencias que perduran en el organismo desde hace mucho tiempo, que el cuerpo no ha conseguido compensar, pero que quizás hemos logrado reprimir (un indio no conoce el dolor, dicen los alemanes), serán aceptadas por nuestro cuerpo a partir de un determinado momento como inherentes al sistema. El cuerpo se comportará entonces como si el dolor formara parte del sistema orgánico. No sólo dejará de compensarlo, sino que defenderá esta interferencia tal y como hace con todo aquello que garantiza la integridad de ese sistema.

*Todas las enfermedades crónicas son como los parientes. Uno se acostumbra a su presencia y resulta difícil librarse de ellos.
En el caso del dolor ello significa que con determinados analgésicos es posible reprimirlo durante un tiempo. Aunque sólo es posible sanar al organismo si el dolor es tratado como simple síntoma de un problema orgánico. Éste desaparece por si solo en cuanto el agente funcional, o sea, la causa del dolor, sea eliminado.

Desde la perspectiva de la medicina natural hay toda una serie de posibilidades (desde la fitoterapia y la acupuntura a la homeopatía), a la hora de aliviar y curar los dolores. Todos estos métodos se basan en la provocación de estímulos agudos, que generan movimiento y que ponen en marcha el flujo energético del organismo.

En este sentido la auriculoterapia ha demostrado una especial efectividad. Tratando la oreja del paciente es posible influir en todos los dolores funcionales, aliviándolos y con frecuencia eliminándolos por completo. El abanico de posibilidades va desde el trata- miento de dolores traumáticos –por ejemplo tras un accidente- a neuralgias, los más variados dolores de cabeza, ciática, dolores fantasma tras una amputación, los dolores que acompañan a ataques reumáticos o los habituales de la claudicación intermitente, el herpes zóster y otras tantas dolencias.

8.2.1 Neuralgia intercostal

El paciente, un señor mayor, refiere fuertes dolores en la región intercostal (D4/D5) del lado izquierdo. Tiene cierto sobrepeso y es de complexión fuerte. Antes de jubi- larse trabajó en la construcción, y, de vez en cuando, sigue haciéndolo. Regularmente se bebe "su" cerveza. Tiene dolores de espalda, sobre todo cuando tiene que levantar cosas pesadas. No quiere un tratamiento demasiado complejo: que se vaya el dolor del pecho, y fuera.
El segmento afectado transcurre por la D5. La columna vertebral está bloqueada en la zona discal. La línea de trabajo pasa por los puntos Plexo hipogástrico, en el área del Hígado (¿Vesícula Biliar?), D5, Caja torácica (punto doloroso entre la cuarta y la quinta costilla), un punto vegetativo (canal vegetativo) y un punto de regulación nerviosa (ala del hélix). El tratamiento sólo tiene lugar en el lado derecho (el paciente sólo quería liberarse del problema agudo) y se reduce a la línea de trabajo, Colchón (para estabili- zar tensión), Tálamo y Shen Men. Los puntos de correspondencia Omega II y Trigémino no fueron tratados, pero complementarían el cuadro nervioso del problema. El dolor se fue tras la primera sesión y no volvió a aparecer.

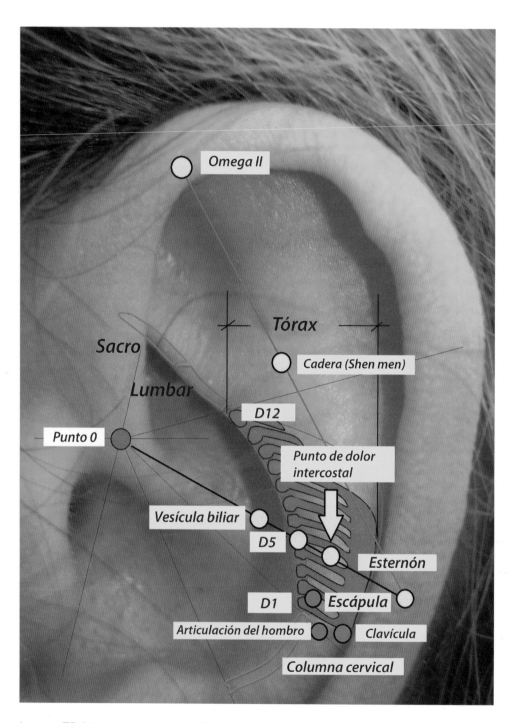

Imagen 75: Neuralgia intercostal. Oreja izquierda

8.2.2 Dolor de cabeza

El paciente tiene dolores de cabeza en la zona de la frente. Los tiene desde hace meses, más o menos una vez por semana. Son más fuertes al mediodía y remiten por la tarde. A ello se suma en estas fases un mareo que hace que tenga que apoyarse al levantarse. Tiene un carácter miedoso y no le hace mucha gracia que le pongan agujas. La línea de trabajo transcurre en ambas orejas por un sector en la transición lumbar/sacro y pasa por el área de la Vejiga. En ambos casos se puede pensar en un problema renal (debilidad) como causa del problema.

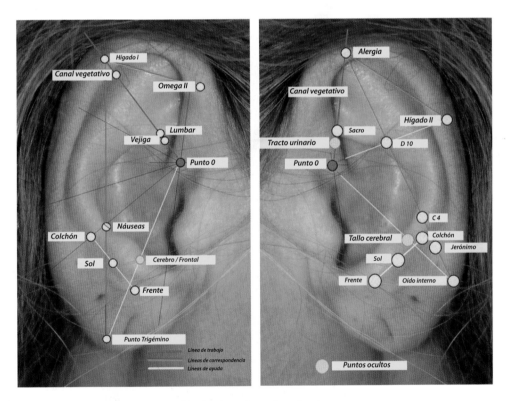

Imagen 76: Dolor de cabeza. Oreja derecha e izquierda

La línea de trabajo transcurre por Vejiga, Cadera, Zona de la Urticaria y el Darwin. Esta constelación refleja una típica situación de debilidad (tendencia a la diátesis úrica). La primera línea de correspondencia (30°) va hacia la cabeza, y muestra aquí en especial el Núcleo del Trigémino, un punto que señala un proceso agresivo. La segunda línea de correspondencia (30°) llega al punto Omega II, que resalta el carácter psicosomático del problema (ira, tendencia al enfado). Como puntos orgánicos aparecen los de la Línea sensorial (Colchón, Sol, Frente) y el punto Náusea (mareo), que está en la intersección de la línea de correspondencia en el antihélix con el Colchón.

Son tratadas ambas orejas. Tras la primera sesión disminuye el dolor de cabeza. Pero éste vuelve a aparecer. La segunda sesión a los 14 días vuelve a producir ausencia de dolor, que esta vez permanece por más tiempo. Aunque el dolor de cabeza que vuelve a tener el paciente es tan tenue, que prefiere renunciar a más tratamientos de auriculoterapia. Sólo había aceptado que le pusiera agujas por el fuerte dolor. El posterior tratamiento es homeopático.

8.3 Tinnitus (acúfenos)

El tinnitus está muy extendido. Los sonidos, que conducen al paciente al borde de la desesperación, pueden tener carácter diverso (zumbidos, pitidos, etc.)

Los ruidos pueden ser permanentes o aparecer a intervalos. Pueden mejorar o empeorar al escuchar música. Las causas son tan variadas como los síntomas. No se puede negar que la mayoría de los tinnitus no son únicamente un problema funcional del sistema auditivo. Por regla general, el tinnitus no es más que un síntoma, que surge como consecuencia de toda una serie de afecciones orgánicas. Hay tanto causas externas, como traumas o daños en el aparato auditivo, como internas, a veces también psicosomáticas.

No hay tinnitus sin una interacción causal, y el problema es que, si no conocemos las causas será muy difícil su curación.

Una de las causas más comunes de tinnitus son problemas en la región del riñón y la vejiga.

Por mi experiencia creo que entre el 50 y el 60% de los casos, el tinnitus tiene su origen en una diátesis úrica.

La medicina china explica este fenómeno de la siguiente manera: los riñones y sus meridianos regulan, además de la capacidad reproductora y la regeneración, también la regulación de los líquidos corporales, la funcionalidad de las articulaciones (cadera, rodilla), el crecimiento del cabello, la función de las orejas y las funciones cerebrales. Los riñones son el punto de partida de la fuerza vital.

El tinnitus puede, por tanto, ser la consecuencia de una debilidad renal, provocada por una saturación del organismo, entre otras cosas por enfermedades, estrés, mala alimentación, alcohol o abuso de medicamentos.

Cuando falta calor en los riñones y los pacientes se quejan de una continua presión en la zona renal es porque les falta la energía yang. La consecuencia de ello también puede ser un tinnitus. En caso de carencia yin también pueden aparecer los síntomas más variados, entre ellos el zumbido en los oídos.

Cuando existen semejantes causalidades, éstas se hacen visibles en las zonas de proyección del cuerpo. Una imagen especialmente convincente es la que nos ofrece el ojo con la ayuda del diagnóstico del iris. Éste tiene su origen en la semiótica, la ciencia de la valoración global de los signos patológicos del cuerpo (pelo, piel, color de los ojos, visualización de la orina, quiromancia, diagnóstico de las uñas, diagnóstico de la lengua, etc.) y que hasta comienzos del siglo XIX formaba parte del instrumental habitual de cualquier médico. ¿Qué ha sido de todo ese saber? Las enseñanzas de la iriología se remontan al médico húngaro v. Peczely, que presentó su descubrimiento en 1881. Peczely enseñó –algo que no ha cambiado en absoluto hasta la fecha- que hay una correlación entre determinados signos del iris y ciertas enfermedades orgánicas. El fenómeno de la constitución del iris y los signos diagnósticos oculares, como la estructura, pigmentación, etc. nos permiten reconocer las causas y las tendencias a enfermar de un paciente. Cuando en el diagnóstico del iris detectamos campos de interferencia en los segmentos enfrentados del ojo derecho (50 a 55 para el oído y 20 a 25 para la vejiga, así como en el ojo izquierdo (5 a 10 para el oído y 35 a 40 para la vejiga) ello indica forzosamente una conexión entre oreja y vejiga, de modo que podemos partir de la base de que el paciente no sólo tiene un problema auditivo, sino también en vejiga y riñones. Ello significa que para curar el tinitus será necesario solucionar los problemas de estos órganos.

Los signos de la oreja también nos pueden indicar una correlación semejante. Para que se vea más claro quisiera presentar dos casos de tinnitus y su tratamiento.

Tinnitus Caso 1:

La paciente tiene 56 años. Es delgada y muy sensible. Desde hace años padece un fuerte zumbido en los oídos, unido a una cierta sordera. En la anamnesis compruebo que tiene problemas articulares y retención de orina, pero acompañada de continuas ganas de ir al baño. Su rechazo a los dulces llama la atención. Además, padece una ciática en el lado izquierdo, bastante recurrente. Tiene verrugas, sobre todo en las manos y la cara, que son bastante duras y tienden a reventarse. En el diagnóstico del iris aparecen campos de interferencia en los segmentos enfrentados del oído y la vejiga, lo que señala la relación entre este órgano y el tinnitus.

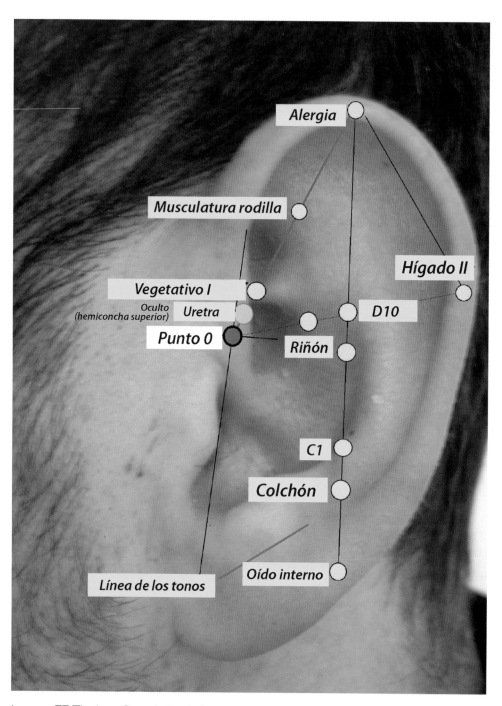

Imagen 77: Tinnitus. Caso 1. Oreja izquierda

La oreja izquierda también presenta una inflamación en la zona de la vejiga, que destaca por su palidez con respecto al entorno.

Al buscar los puntos en la oreja se confirma el diagnóstico del iris. Los segmentos afectados y las consiguientes líneas de tratamiento en ambas orejas, transcurren por la zona de la vejiga. Los puntos encontrados son: Vejiga, L4/5, Rodilla, Hipertonía y Alergia. La línea de correspondencia pasa por el punto Oído interno, en el lóbulo.

Estos zumbidos tienen, por tanto, una correlación con los problemas en riñón y vejiga. En este caso, debemos tratar la causa. En primer lugar, hay que fortalecer la vejiga y colocar en su sitio el metabolismo del ácido úrico. Además de los puntos arriba indicados, son tratados un punto del pulmón (carencia energética), el Punto 100, puntos en la Línea de los Tonos y el punto del Oído externo. Al cabo de tres sesiones (con un espacio de dos semanas entre sesión y sesión), la paciente siente una mejora importante. Desaparece el retumbar inicial. Los ruidos se moderan y sólo los percibe en las fases de calma. Posteriormente se prolongaron los intervalos de tratamiento (otras 4 sesiones, con un espacio de 3 semanas entre ellas). Tras este espacio, el tratamiento concluyó exitosamente. No ha vuelto a aparecer el problema.

Tinnitus Caso 2:

Muy diferente es el cuadro de una joven de 34 años. Viene a consulta porque padece fuertes depresiones y estados de ansiedad. Vive en estado de alerta continua.

Se siente amenazada por todo, todo le es excesivo. Tiene un tenue dolor de cabeza que no cesa y mareos. Por las mañanas estornuda bastante, y suele sentir náuseas después del desayuno. Las encías sangran con facilidad. Sufre aerofagia y reflujo, que empeora tras la comida. También estreñimiento y una ligera quemazón en la uretra. No tiene ganas de sexo y sufre prolapso de vejiga y útero. Su marido le ataca los nervios. El dolor tensional en el omóplato izquierdo y los dolores en la columna dorsal, aumentan cuando camina mucho tiempo. A ello se suma un dolor punzante en las pantorrillas, que llega hasta los talones. Además se queja de dolores en la cadera derecha, aunque siente alivio con el movimiento.

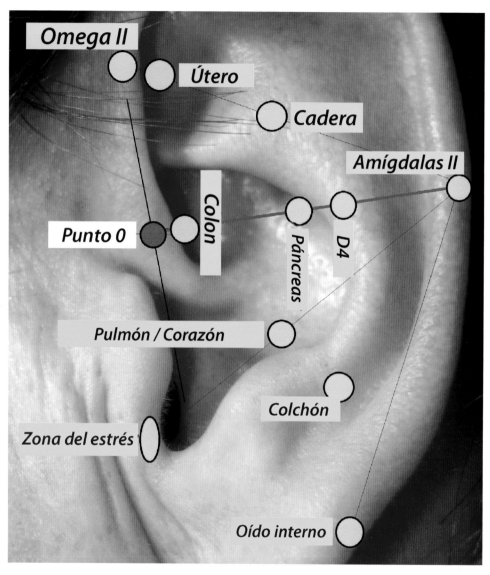

Imagen 78: Tinnitus. Caso 2. Oreja izquierda

También tiene tinnitus en la oreja izquierda, que se hace especialmente patente por la tarde y noche. Durante el día escucha un zumbido, unido a una sensación como si tuviera tapados los oídos. Por la noche aumenta el ruido, hasta convertirse en un rugido pulsátil.

La línea de trabajo de la oreja izquierda pasa por la D3. Como puntos virulentos aparecen el Páncreas, el Duodeno, y un punto de Amígdalas en el hélix, el Hombro y puntos de correspondencia nerviosa de los hombros y del estómago. La línea de correspondencia lleva como importante complemento a los puntos Útero y Parénquima renal, así como Escápula, Tiroides, y un punto en la Zona de Relajación. Una línea de correspondencia adicional (30° en relación a la línea de correspondencia superior) nos conduce al Oído interno. En la oreja derecha, la línea de trabajo pasa por el mismo segmento de la columna dorsal (D2). De ahí que sólo mostremos una ilustración de la oreja izquierda. Aquí tenemos, en la línea de correspondencia los puntos Shen men (estasis de las caderas) y el Parénquima renal. Adicionalmente trato en ambas orejas puntos de la línea de los tonos.

El tratamiento produce ya, tras la primera sesión, una relajación significativa. Al cabo de algunas sesiones se estabiliza la situación. Los zumbidos en el oído se convirtieron en esporádicos ya tras la segunda sesión, y posteriormente desaparecieron por completo. El estrés y los problemas internos fueron claramente las causas del cuadro.

Estos ejemplos tienen como objeto mostrar cómo surge la estrategia terapéutica. Pero, por favor, no se olvide de que el siguiente caso de tinnitus será de otra persona y podrá tener otras causas.

8.4 Enfermedades gerontológicas

Uno se siente viejo en la medida en que pierde la adaptabilidad y flexibilidad en relación con el entorno.

Cuando te das cuenta, por desgracia ya ha es demasiado tarde. El proceso natural de envejecimiento ha empezado y ya ha dejado sus huellas. Una teoría del envejecimiento que me parece bastante plausible dice que el sistema genético se ve atacado por continuos influjos externos, y que el envejecimiento es, en consecuencia, el resultado del consiguiente aumento de errores en el organismo. También parece lógico que la disposición genética sea la que decida los efectos de la vida en una persona. Ésta determina la velocidad de envejecimiento. Así, uno se siente a los 40 viejo y enfermo, mientras que otro a los 70 se siente fuerte y joven. El término de "enfermedades gerontológicas" tiene poca consistencia. Pocas veces podemos asegurar con absoluta convicción "de eso enferman los ancianos". Muchas veces también se ven afectadas personas jóvenes, e incluso niños, como ocurre en el caso de la demencia infantil. Además, una persona mayor no tiene por qué sufrir esas enfermedades de la tercera edad.

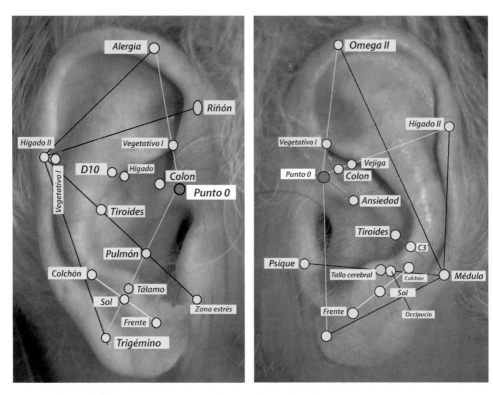

Imagen 79 y 80: Demencia senil. **Oreja derecha e izquierda**

Demencia

La paciente tiene 78 años y vive en una residencia de ancianos. Se trata de una mujer delgada, seca y que se enfada enseguida; no es nada cálida. A nivel corporal es muy resistente.

Su demencia se ha hecho patente a los 70 años, y empezó con pérdidas de memoria. Con el tiempo se sumaron al cuadro una continua desazón interna, pérdida de orientación y una importante falta de concentración. Su estado actual oscila entre la depresión y la euforia. Aun cuando está presente, siempre tiene una ligera desorientación. Muchas veces va a buscar algo pero en el camino se olvida de lo que quería, o de dónde venía. Además, tiene continuos dolores de cabeza, sobre todo en la frente y muchas veces también en la región occipital izquierda. A ello se suman los mareos. No puede mantenerse cuando cierra los ojos. Es patente una clara desigualdad en las pupilas. Tiene mucho apetito, y éste es bastante extraño. Le encantan el clavo y los posos del café o el té. Está bastante estreñida, no puede ir al baño hasta que no se ha acumulado una cantidad importante de heces (Ilus. 130, 131).

La línea de trabajo transcurre en la oreja izquierda por la columna cervical (bloqueo en C2) y en la oreja derecha por la columna dorsal (D4). La dislateralidad manifiesta entre ambas orejas hace patente la tensión y desequilibrio de la paciente.

Al cabo de varias sesiones cambia la situación de los segmentos en ambas orejas, que confluyen en la columna cervical, donde dominan ahora los bloqueos. La situación de la paciente se hace menos dramática y más equilibrada.

Los puntos adicionales al tratamiento básico son fundamentalmente puntos de regulación y otros que reflejan correlaciones psicosomáticas o que actúan sobre ellas: el punto Omega principal, un punto en la Zona de Relajación, los de la Línea sensorial (Colchón, Sol y Frente), los puntos Náusea, Sustancia Gris, Tálamo, Vegetativo II, y Tallo Cerebral en la cara posterior del antitrago, así como puntos de regulación del metabolismo hepático en el ala del hélix, puntos de regulación tiroidea, y puntos orgánicos como Hígado, Riñón, Intestino Grueso (entre otros Omega I).

Estos sólo son tratados en la medida en que muestran carácter virulento. En el ejemplo de la paciente, los puntos agudos aparecen en amarillo. Sólo éstos fueron integrados en la primera sesión.

El tratamiento tuvo lugar primero cada 14 días. Este intervalo se ajusta bien a la avanzada edad de la paciente, y permite al organismo cansado asumir los estímulos. Ya después de la primera sesión, la paciente se mostró más relajada y los ataques menos frecuentes. Hay que decir que olvidaba más cosas que antes, pero al menos podía volver a dormir. Los dolores de cabeza desaparecieron por completo tras la tercera sesión. Desapareció del cuadro el nerviosismo extremo. El tratamiento se repitió con una frecuencia de una sesión al mes.

8.5 Trastornos del tracto urogenital y problemas ginecológicos

Esterilidad

La paciente tiene 30 años, lleva 10 casada y hasta la fecha nunca se había quedado embarazada. Un médico ha confirmado que es estéril. Ella misma se califica de gruñona e intranquila. Sufre una continua excitación nerviosa y una debilidad temblorosa en todo el cuerpo. En el momento de la consulta padece, además, una fuerte tensión en las cervicales, con un terrible punzamiento en el músculo esternocleidomastoideo. El dolor le hace doblar la cabeza hacia la izquierda.

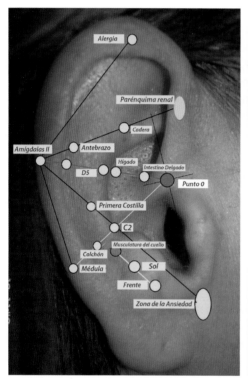 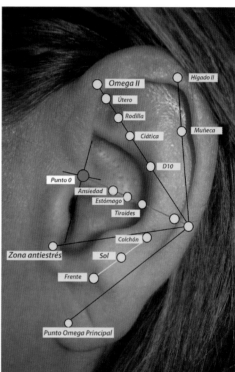

Imagen 81 y 82: Esterilidad. **Oreja derecha e izquierda**

Con frecuencia tiene dolores de cabeza, especialmente virulentos, por momentos, en las sienes. Muchas veces llegan con la regla. Cuando se juntan las dos cosas se siente fatal. Antes de la regla y durante la misma, tiene calambres en el estómago e irritaciones uterinas. Durante la regla sufre, además, vómitos convulsivos y un extremo malestar. La regla en sí varía en intensidad, pero siempre dura mucho. Se queja de flujo incesante. Dice que ya de pequeña sufrió flujo vaginal. Padece dolores reumáticos en los dedos de las manos, muñecas, tobillos y pies (también en los dedos).
Éstos van de un lado a otro y empeoran por la noche. Llama la atención la rigidez de los dedos de las manos.

La línea de trabajo en la oreja izquierda pasa por el Estómago, la C6 el canal vegetativo y la regulación nerviosa. Si se prolonga la línea de correspondencia hacia el punto 0 llegamos al punto R de Bourdiol. Éste sólo debería tratarse en caso de que el tratamiento de un trauma psíquico no superado resulte infructuoso. Los puntos de correspondencia se encuentran en la zona de Relajación y en el punto de la Alergia. Los problemas orgánicos y las interacciones psicosomáticas las tratamos con los puntos Shen men, Útero, Colchón, Ovario, Omega y la musculatura cervical.

En la oreja derecha la línea de trabajo transcurre por la D3, el Hígado y el Cardias.

Los puntos de correspondencia son Omega principal, y Omega II.

Los problemas orgánicos y las interacciones psicosomáticas las tratamos con los puntos Colchón, Sol, Frente, los puntos Omega, Cadera (Shen men), Útero, Gonadotropina y Ovario.

El tratamiento tuvo lugar con una frecuencia de 14 días. Tras la tercera sesión coloco una aguja en el punto R de Bourdiol (después de comentárselo a la paciente), lo que provoca una reacción muy fuerte, casi histérica, con llantos convulsivos. En ese momento la paciente comenta que abusaron de ella cuando niña. Después de esta sesión se relaja y se vuelve más equilibrada. Los dolores de cabeza desaparecen al igual que los problemas menstruales.

Impotencia

El paciente tiene 56 años. En consulta comenta que es fácilmente irritable. Se siente insatisfecho y se enfada con facilidad. Lo que más le molesta es su "fracaso" sexual. Tiene fases de mucho deseo, sin poder consumar el acto.

Sólo tiene erecciones cortas, y cuando realiza una penetración, eyacula con rapidez. El vientre está muy hinchado. Tras la comida se siente muy lleno y cansado. A veces se queda dormido en el escritorio y le cuesta mucho mantenerse despierto. Sin embargo, el sueño nocturno es muy ligero, y se despierta con pesadillas. Además, por la noche siente muy fuertes los latidos cardiacos. Tiene que dormir con la cabeza elevada, pues de lo contrario no recibe suficiente aire.

Por lo general suele sentir una presión amenazadora en la zona del corazón. Su tensión arterial es de 15-8. El pulso es bajo, y a veces está en 40 pulsaciones por minuto.

Muchas veces tiene terribles dolores musculares en los brazos, sobre todo en el derecho. La piel es seca. Tiene callosidades duras en los pies.

En la oreja izquierda, la línea de trabajo pasa por Vejiga, Sacro, Hipertensión y Alergia. Los puntos de correspondencia son: Médula oblongada y Omega II. También son incluidos en el tratamiento los puntos Colchón, Gonadotropina, Primera Costilla, Omega Principal, Genitales Externos (Pene), Próstata, Antiagresión y el Punto de Jerónimo.

En la cara posterior de la oreja, a la altura del punto Hipertensión llama la atención un vaso. Tras sangrarlo con una lanceta le baja la tensión de manera dramática. En la oreja derecha la línea de trabajo transcurre por Hígado, Intestino Delgado y D3. Los puntos de correspondencia son Omega Principal y Omega II.

También son tratados los puntos Pene, Próstata, Antiagresión.

Punto de Jerónimo, Hígado I, Hígado II, y en la cara posterior de la oreja, también hago sangrar el surco hipotensor.

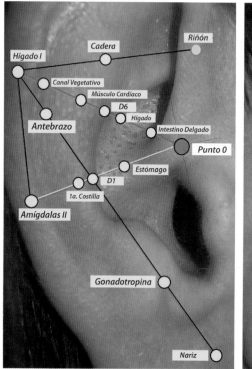 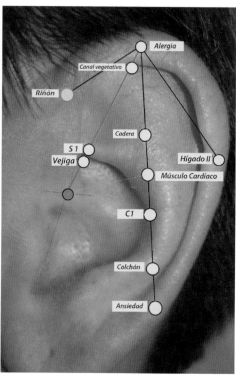

Imagen 83 y 84 Impotencia. **Oreja derecha e izquierda**

Hiperémesis gravídica

Los vómitos severos durante el embarazo pueden convertirse en un cuadro realmente dramático. Una joven paciente de 26 años, embarazada de tres meses, viene con una fuerte hiperémesis a consulta. Está delgada y pálida y tiene un aspecto bastante anémico, lo cual seguramente no tiene sólo que ver con su condición actual. En la anamnesis se ve con claridad su disposición nerviosa, con una debilidad del sistema nervioso vegetativo. Reacciona enseguida. Con el mismo carácter convulsivo que sus vómitos actuales reacciona desde su infancia a los ataques de bronquitis. Relata que todo le produce asco y malestar. También vomita cuando no ha comido nada. Pero el caso es que después no se siente aliviada. Está agotada y es fácilmente irritable. Además tiene diarrea. Las manos y los pies están húmedos y fríos, a pesar de que siente calor por dentro. Cualquier movimiento empeora su estado. La calma lo mejora.

La línea de trabajo pasa en la oreja izquierda por Vejiga, L3, canal vegetativo y Hígado II. Como puntos de correspondencia surgen puntos en la Zona del Miedo y en la región del Parénquima renal. Otros puntos orgánicos y psicovegetativos son: Útero, Estómago, Hígado I, Omega Principal y Gonadotropina. La línea de trabajo en la oreja derecha pasa por Intestino Delgado, Hígado, D4, canal vegetativo y hélix. Como puntos de correspondencia encontramos un punto en la Zona de Relajación, el Darwin y el Omega II. Los puntos orgánicos y psicovegetativos adicionales son: Tiroides, Hígado I y II, Omega Principal y Cadera (Shen men).

La mejora de su estado fue inmediata. Tras la segunda sesión no hicieron falta más.

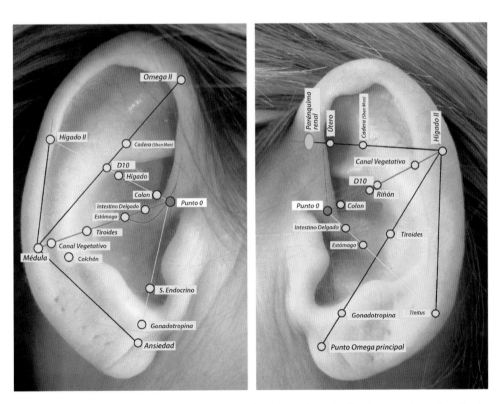

Imagen 85 y 86: Hiperémesis. **Oreja derecha e izquierda**

Bartolinitis

La paciente, de 38 años, se queja de una inflamación de la glándula de Bartolino de-recha. Se trata de un proceso crónico con recidivas, problemas para dormir seguido y ataques de miedo. A ello se suman los problemas de visión en el ojo derecho. Ensegui-da siente frío, y le gusta todo lo caliente. El pelo lo tiene ya bastante cano.

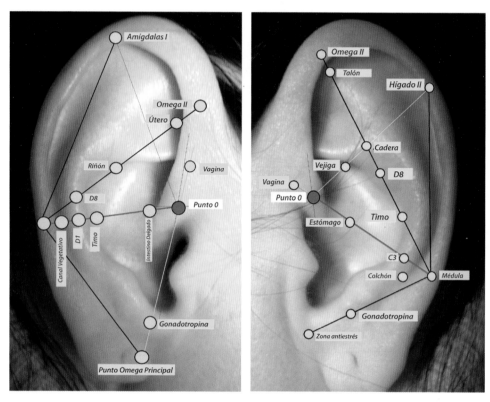

Imagen 87 y 88: Bartolinitis. **Oreja derecha e izquierda**

Su piel es seca, tiene muchas callosidades y además tiene caspa. Después de comer se siente hinchada y agotada. La regla le llega tarde y dura mucho. La vagina está seca. Es una persona bastante retraída, pero parece que tiene bastante autoestima. Le da vergüenza hablar de los síntomas.

En la oreja izquierda la línea de trabajo pasa por la C5, el canal vegetativo y el hélix (Amígdalas III). Como punto de correspondencia tenemos el de Alergia. Otros puntos orgánicos y psicovegetativos son: Riñón, Uretra, Hígado I y II, Omega Principal, Primera Costilla, Shen men y Vagina.

En la oreja derecha la línea de trabajo transcurre por Tiroides, C6/C7, Miedo II, canal vegetativo y hélix (amígdalas). Los puntos de correspondencia son: Omega II (30° hacia arriba), y Darwin (60° hacia arriba). Como puntos orgánicos y psicovegetativos adicionales tenemos: Hígado I y II, un punto en la intersección de la línea de correspondencia del Darwin con el punto 0 con un vaso de la zona de la cadera (el vaso va de la zona de la Urticaria a la Zona del Útero, Uretra, Vagina, Punto de Jerónimo y Ojo).

8.6 Auriculoterapia para problemas psíquicos

Muchas patologías donde se presentan trastornos de la personalidad son asociados al término "Borderline". Inestabilidad emocional, falta de control, tendencia autodestructiva, etc. describen una serie de problemas que a la postre son muy individuales y que se diferencian mucho unos de otros. Con el término Borderline las causas de semejantes problemas reciben una explicación del todo insatisfactoria. Lo que siempre encontramos es una situación patológica – o mejor dicho, vital- muy individual.
Los pacientes están tensos, tienen miedo o son iracundos, y no ven soluciones a la propia situación, ni encuentran visiones de futuro que los convenzan. Para el terapeuta es importante:
a) percibir al paciente en su situación corporal, psíquica y social real.
b) darle la suficiente fuerza, para que pueda salir de esa situación. Sólo quien logra romper el círculo vicioso de carga psíquica y debilidad corporal, podrá curarse.

Cuando el paciente no siente ira, puede dormir bien, va al baño sin problemas, y no le atormentan los dolores, de pronto la vida le resulta más fácil.
No es el mundo el que ha cambiado. Somos nosotros, los que hemos cambiado, y hemos cambiado nuestra relación con el mundo. Este es el camino a mostrar al paciente. Lo que necesitamos para enfrentar la vida con buen humor, es, en su mayor parte, el resultado de un metabolismo que funcione correctamente. Si éste está en condiciones, podremos arreglar mejor nuestros problemas. Es un error elemental creer que la situación mental de una persona sea sólo cosa de la cabeza. Por la medicina china sabemos que la ira viene del hígado, mientras el miedo y las depresiones, vienen del riñón. Exceso o defecto, en ambos casos tenemos el cometido de ajustar también, además del metabolismo, la situación energética, que provoca esas reacciones mentales.

Alopecia

La paciente tiene 50 años y viene a mi consulta porque padece alopecia. En la anamnesis se muestra que tiene muchos problemas a nivel social que le afectan la salud. Ha construido una casa, y la carga a la que se ve sometida le resulta cada vez más amenazante.

Parece cansada y se siente tensa. No puede más. Siente mucha ira hacia su familia (marido, hijos), sin poder explicar por qué. A veces siente el deseo de hacerles algo a sus hijos (lo que por supuesto no consuma). Pero semejantes pensamientos la invaden de mala conciencia.

Tiene miedo al futuro y, sobre todo, a las cosas que no van como ella quiere. Llora mientras relata sus problemas.

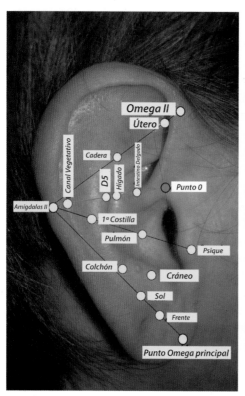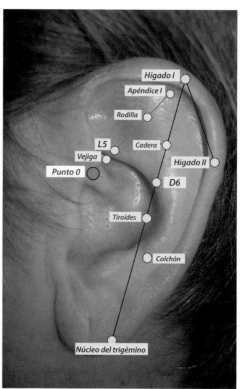

Imagen 89 y 90: Alopecia. **Oreja derecha e izquierda**

Desde hace un tiempo le resultan extremadamente desagradables los intentos de acercamiento sexual de su marido. Cuando le toca la zona del pecho le resulta muy doloroso. La mucosidad vaginal está seca, lo que le provoca dolores en el coito. Tiene la sensación de que el vientre se le cae hacia abajo (¿prolapso de útero?).

Sufre ataques de calor, la menstruación se retrasa y es poco abundante. Antes de la regla tiene terribles dolores de cabeza. Padece estreñimiento, pero éste no va acompañado de ganas de ir al baño.

El hígado es sensible a la presión, de ahí que no pueda tumbarse del lado derecho. Por las mañanas tiene mal humor, y muchas veces siente náuseas. El desayuno mejora este estado.

Tiene dolores de espalda en la columna dorsal y problemas en la cadera izquierda. El movimiento mejora los problemas. Durante el tratamiento rompe en llanto y permanece un largo rato llorando. Después se siente muy relajada, está casi alegre. Es como si se le hubiera caído un peso de encima.

En las primeras sesiones se ve con claridad la problemática Vejiga/Riñón (debilidad). Las líneas de tratamiento van cambiando de sesión en sesión. Después de tres sesiones siente una mejora tal, que decide interrumpir el tratamiento. Pero al cabo de dos meses vuelve a consulta. Los problemas son los mismos que en la primera sesión.

Soy la reencarnación divina

El paciente tiene 28 años. Fue drogadicto en el pasado, circunstancia que estuvo a punto de costarle la vida. Sigue consumiendo drogas (heroína) cuando no ve otra forma de liberarse de la ira. Cree que sigue vivo porque tiene un encargo. El mundo necesita de la palabra de Dios, y su misión no es otra que mostrar a la humanidad el camino correcto. Enseguida se pone iracundo y tiene la sensación de que si se enfada con alguien, la persona en cuestión sufrirá daños corporales. De ahí que no le guste ponerse iracundo, pero no puede evitarlo. Tiene problemas manifiestos de estómago (dolores, reflujo), sufre estreñimiento (hemorroides, sangre en las heces) retención de orina (pero con ganas de orinar) y le cuesta tanto conciliar el sueño como dormir de un tirón. Por la noche se levanta siempre hacia las 3 de la mañana (MTC: hora del hígado). Tiene apetito sexual, pero con problemas eréctiles. Muchas veces, el pene se vuelve flácido antes del coito.

Cuando realiza algún esfuerzo (por ejemplo levantar algo) le duele la región del sacro. El tratamiento gira, debido al problema adictivo, en torno a la problemática metabólica (hígado) y la tensión nerviosa del paciente. Además de la línea de trabajo y los puntos de correspondencia, resultan especialmente importantes los puntos del hélix (acción reguladora sobre el metabolismo hepático: desde la perspectiva china, el hígado se proyecta en el hélix), el punto Antiagresión y los puntos Omega Principal y Omega II. En la oreja izquierda se trata adicionalmente el "Triángulo pulmonar" (altamente relajante).

El paciente se queda dormido durante el tratamiento. Tras la sesión –las agujas necesitan bastante tiempo antes de que el cuerpo las libere- se siente muy relajado y eufórico. Asegura que las agujas han tenido un efecto parecido al de la marihuana. Ya no siente dolores. Las heces y la retención de orina mejoran de manera continuada al cabo de varias sesiones.

En general, se siente más relajado. Tras seis sesiones se encuentra realmente bien. Los síntomas corporales y sobre todo la rabia desaparecen casi por completo, y supera mucho mejor el estrés. Ya sólo viene cuando no está contento con su estado.

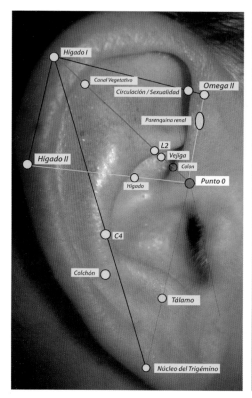 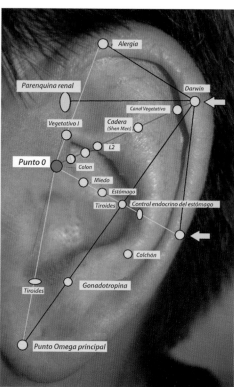

Imagen 91 y 92: Reencarnación. **Oreja derecha e izquierda**

Soy la novia del demonio

La paciente tiene 27 años. Tiene una complexión pesada y da la sensación de estar llena de rabia. Sus brazos están vendados. Relata que sufrió abusos sexuales cuando niña. Su situación actual le resulta realmente amenazadora. Está preparando el examen final de carrera. Se siente rechazada por el grupo de trabajo con el que estudia y siente un fuerte desengaño hacia una amiga.

Esto la llena de ira. Desde hace dos años forma parte de un grupo que rinde culto al demonio y cuando siente rabia se quema los brazos con velas o cigarrillos. Asegura que tiene continuos acompañantes –que aparecen aislados o en grupo.

Tienen cuerpo de animales y cabezas humanas, que, dependiendo del estado de ánimo, son de un rojo encendido o blancas. También están presentes durante el tratamiento, pero van desapareciendo a lo largo de la sesión, toda vez que han cambiado el color de rojo a blanco. Tras el tratamiento se siente profundamente relajada y alegre.

Los síntomas corporales son: sudor, sobre todo de noche, trastornos del sueño y estreñimiento. La regla es poco abundante y a veces no llega. Tiene fases de voracidad excesiva. Después de comer le va algo mejor, a pesar de los gases y la sensación de pesadez. En la oreja izquierda la línea de trabajo pasa por Uretra, Sacro, Útero y Alergia (sinónimo para reacciones excesivas). La prolongación de la línea de trabajo nos lleva al punto Antiagresión. Los puntos de correspondencia son Omega II y Codicia. Puntos adicionales son Hígado I y II, Estómago, C 3, Punto de Jerónimo y, por su efecto relajante, el Triángulo Pulmonar.

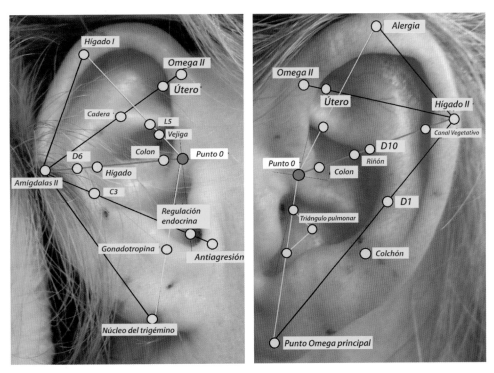

Imagen 93 y 94: Quemaduras. Oreja derecha e izquierda

La paciente viene cuando quiere. Rechaza hacerlo regularmente. Durante las primeras sesiones siempre viene con nuevas quemaduras en los brazos. Su conducta está marcada por el odio hacia sí misma y la incapacidad de relajarse. Con las quemaduras consigue castigarse a sí misma. Aunque también la relajan y de este modo "puede sentirse a ella misma".

Cada sesión le producía una enorme relajación. Los personajes imaginarios casi no aparecen más y cuando lo hacen se muestran muy tranquilos. La paciente está cada vez más estable.

Agorafobia

La agorafobia es una situación de estrés aguda, que aparece cuando las personas afectadas están en lugares abiertos o espacios públicos, o abandonan la protección de la propia vivienda. Lo curioso del caso es que este estado sólo aparece cuando los pacientes están solos o se sienten desprotegidos. En cuanto están con ellos su pareja o una persona de confianza, desaparecen el estrés y el miedo. Por lo general un observador externo no notará nada.

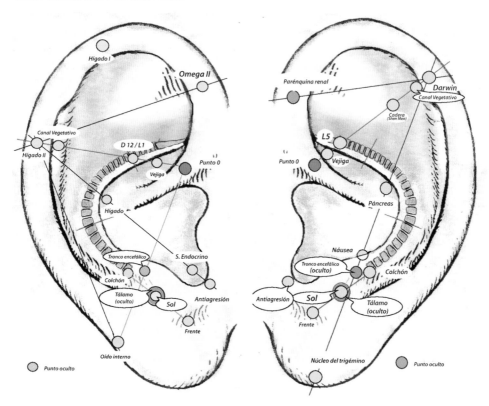

Imagen 95 y 96: Agorafobia. **Oreja derecha e izquierda**

La paciente tiene 38 años. Da una sensación extrovertida e hiperactiva.

Es muy comunicativa y relata su situación de manera muy plástica, aunque se pierde en divagaciones, de modo que el terapeuta tiene dificultades a la hora de ordenar su relato.

Su problema (agorafobia) empezó cuando tenía unos 22 años. En aquella época tuvo una crisis personal (separación de su novio de entonces). Recuerda que justo después llegó el primer ataque de miedo. Relata síntomas como mareos, presión en la cabeza, sequedad bucal, y la sensación de no tener suelo bajo los pies. Síntomas todos que aparecen cuando está sola.

Lo curioso es que este estado surge de manera repentina. En situaciones semejantes, tiene la sensación concreta de que va a morir, y un terrible miedo de que no haya salida a esa situación. Incluso cuando se siente segura, tiene miedo de cosas inesperadas, como una mala noticia.

A pesar de que busca protección no le gusta una proximidad excesiva. Tampoco le resulta fácil encontrar consuelo de cualquiera. El consuelo empeora la situación, pues piensa que no se lo merece. El caso es que ella es muy poco realista en la valoración de la propia situación. Las posibles parejas las rechaza inconscientemente, ya que intenta dominarlas. Tiene una relación adictiva con la sexualidad. Se odia a sí misma y a la pareja de turno por su propia incapacidad de controlarse, lo que muchas veces le produce ataques histéricos. Su piel es seca, y el cuero cabelludo le pica. Cuando está mucho tiempo de pie le produce dolores de espalda.

A ello se suma toda una serie de trastornos digestivos y de estómago.

Tiene fases donde le falta el aliento. Eso hace que se despierte en plena noche y se ve obligada a sentarse. Su sueño es muy ligero, ante el más mínimo ruido se despierta. Suda con facilidad, tiene palpitaciones y pinchazos en el corazón. Ha desarrollado una serie de estrategias para evitar situaciones en las que podría tener una falta de control por estrés o miedo. Siempre hay algún colega o amigo que le acompaña a solucionar las actividades más normales.

El primer examen muestra la siguiente imagen:

En la oreja izquierda se patentiza la debilidad de riñón (vejiga y las consiguientes reacciones excesivas (estrés). En la oreja derecha pasa algo parecido. Aquí se proyectan las reacciones endocrinas, el vértigo (Oído interno) y la ira (Hígado y Omega II).

Al cabo de tres sesiones (con un ciclo de una sesión cada dos semanas) le va bastante mejor. Duerme mejor. Los ataques de agorafobia no le resultan tan amenazantes, y es más consciente de ellos. Ya puede ir al trabajo sin compañía (camino conocido), y también hacer pequeñas excursiones.

Bibliografía

Bahr, F.: Wissenschaftliche Ohrakupunktur in der Praxis,
              Fische Verlag für Medizin, Heidelberg 1980

Bahr, F.: Ohrakupunktur,
              Schweizer Verlagshaus AG Zürich 1976

Braun, A.:   Methodik der Homöopathie,
4 überarbeitete und erweiterte Auflage, Sonntag Verlag, Stuttgart 1992

Bischko, J.:   Praxis der Ohrakupunktur,
              Karl F. Hug Verlag, Heidelberg 1994

Bourdiol, R.:   Aurikulomedizin in Einzeldarstellungen
              Bd. I und II; in Bahr 1978

Bourdiol, R.:   Embryogenese und Aurikulomedizin.
              In Bahr 1978

Broddo, A.:   Ratschläge für den Akupunkteur,
              Richard Pflaum Verlag

Bucek, R.:   Praxis der Ohrakupunktur, Grundlagen-Technik-Anwendung,
              2. Auflage, Karl F. Haug Verlag 2000

Dosch, J.P.:   Neuraltherapie nach Hunecke, Freudenstädter Vorträge 1974
              Karl F. Haug Verlag 1975

Elias, J.: Lehr- und Praxisbuch der Ohrakupunktur,
              Sommer-Verlag, Tenntingen 1990

Fleck, F.G.:   Sekundenphänomen-Akupunktur
                  D. Münks Verlag 1977

Gallavardin, J.P.:
Homöopathische Beeinflussung von Charakter, Trinksucht und   und Sexualtrieb
                  Karl F. Haug Verlag 1958

Gleditsch J.M.:
Reflexzonen und Somatotopien,
Biologisch Medizinische Verlagsgesellschaft WBV, Schorndorf 1973

Hahnemann, S.:
Die chronischen Krankheiten, ihre eigentümliche Natur und
                  Heilung
                  Bd. I-IV, Neugestaltung der 2. Auflage 1835-1839,
                  Karl F. Haug Verlag 1995

Hahnemann, S.:
                  Organon der Heilkunst
                  Ausgabe 6B, 7. Auflage Karl F. Haug Verlag 1989

Helmhold, K.:
Perkutane Regulationstherapie durch Normalisierung gestörter Körperpotentialle und
Zellfunktionen über Akupunkturpünkte und Reflexzonen
                  Karl F. Haug Verlag 1977

Karl, J.:   Neue Therapiekonzepte für die Praxis der Naturheilkunde,
                  Richard Pflaum Verlag, München 1995

Krack, N.:   Kartographien 1963-1972 samt Indikations-Indices,
                  Selbstverlag, Moringen

König/Wancura:
                  XU/Chen/Mu, Theorie und Praxis der Chinesischen Akupunktur,
Bd. 3: Ohrakupunktur, Verlag Wilhelm Maudrich Wien-München-Berlin 1998

Kropej, H.:   Systematik der Ohrakupunktur,
                  Karl F. Haug Verlag 1976

Lange, G.:   Akupunktur der Ohrmuschel, Diagnostik und Therapie,

Biologisch Medizinische Verlagsgesellschaft WBV, Schorndorf 1985

Mandel, P.:   40 neue Therapien mit Farbpunktur,
                 Energetik-Verlag GmbH, Bruchsal 1989

Markgraf, A.:   Die genetischen Informationen in der visuellen Diagnostik,
                 Bd. 1-8, Energetik-Verlag GmbH, Bruchsal 1988

Nogier, P.:   Points reflexes auricularis,
                 Verlag Maissonneuve, Moulins-les-Metz, 1987

Nogier, P.:   Praktische Einführung in die Aurikulotherapie,
                 Verlag Maissonneuve, Moulins-les-Metz, 1978

Ogal/Kolster.:
Ohrakupunktur für Praktiker,
                 Hippokrates Verlag Stittgart 2003

Porkert, M.:   Die Entwicklung der Ohrakupunktur aus chinesischer Sicht,
Bd. 10.1 wiss. Akupunktur und Aurikulomedizin, VfM Dr. E. Fischer, Heidelberg

Schrecke, B.D.:
Lehrbuch der modernen und klassischen Akupunktur,
Biologisch Medizinische Verlagsgesellschaft WBV, Schorndorf 1986

Schrecke, B.D.:
Wertsch, G.J.:
Küstner:
Akupunkturatlas,
Biologisch Medizinische Verlagsgesellschaft WBV, Schorndorf 1974

Staufer, K.:   Homöotherapie, 1924,
Faksimiliennachdruck 1982, Johannes Sonntag, Verlagsbuchhandel

Schnorrenberger, C.:
Die topographisch-anatomischen Grundlagen der chinesischen Akupunktur und
Ohrakupunktur,
3. Auflage; Hippokrates Verlag Stuttgart 1983

Strittmatter, B.:

Taschenatlas Ohrakupunktur nach Bahr/Nogier,
2.überarbeitete Auflage; Hippokrates Verlag Stuttgart 2004

Trinks, K.F.:   Handbuch der Arzneimittellehre nach der gesamten und älteren und bis auf die neueste Zeit heran genau revidierten Quellen dder Pharmakodynamik und Therapie,

B. I und Ii, Verlag T.O. Weigel 1847

Wertch/Schrecke

Ohrakupunktur für die Praxis,
WBV mbH & Co. KG Schorndorf 1975

Wong, W.M.:   Akupunktur von Nase, Hand, Fuß und Ohr,
Biologisch Medizinische Verlagsgesellschaft WBV Schorndorf 1977